D1501247

Latinscapes
Jimena Martignoni

Editorial Gustavo Gili, SL

Rosselló 87-89, 08029 Barcelona, España. Tel. 93 322 81 61
Valle de Bravo 21, 53050 Naucalpan, México. Tel. 55 60 60 11
Praceta Notícias da Amadora 4-B, 2700-606 Amadora, Portugal. Tel. 21 491 09 36

Land&ScapeSeries: Latinscapes
El paisaje como
materia prima
Landscape as
raw material

Jimena Martignoni

GG

Directora de la colección/Series director
Daniela Colafranceschi
English translation
Paul Hammond
Coordinación editorial/Editorial staff
Carolina Vidal
Diseño gráfico/Graphic design
PFP, Quim Pintó & Montse Fabregat

En cubierta: Floresta Amazônica © João Ramid/AIB
Cover: Floresta Amazônica © João Ramid/AIB

© Jimena Martignoni
© Editorial Gustavo Gili, SL, Barcelona, 2008

Printed in Spain
ISBN: 978-84-252-2192-7
Depósito legal: B. 52.776-2007
Impresión: Gráficas Campás, sa, Badalona

A mis padres, Cristina y Adrián
To my parents, Cristina and Adrián

Índice

Contents

Introducción
Introduction

"Una vez que cierta idea de paisaje, un mito, una imagen, se establece en un lugar real, tiene un modo peculiar de confundir categorías, de construir metáforas más reales que sus referentes; de convertirse, de hecho, en parte del escenario".
Simon Schama, *Landscape and memory*.[1]

Podríamos presentar los proyectos que conforman *Latinscapes* como retratos del paisaje latinoamericano; retrato único, o imagen de grupo, conformado por rostros individuales con facciones y gestos propios. Esbozados por contraste, estos retratos diversos comparten unos mismos orígenes y una misma historia.
La materia prima, la idea que da forma a este retrato, no son sólo las montañas, los ríos o los bosques —que Simon Schama

[1] Schama, Simon, *Landscape and memory*, Harper Collins, Londres, 1995.

"Once a certain idea of landscape, a myth, a vision, establishes itself in an actual place, it has a peculiar way of muddling categories, of making metaphors more real than their referents; of becoming, in fact, part of the scenery."
Simon Schama, *Landscape and memory*.[1]

We might present the projects that make up *Latinscapes* as portraits of the Latin-American landscape: a one-off portrait, or group image, consisting of individual faces with their own features and gestures. Sketched in contrast, these diverse portraits share the same origin and the same history. The raw material, the idea that gives shape to this portrait, is not just the mountains, rivers or woods—what Simon Schama defines as "myth landscapes" in his book

[1] Schama, Simon, *Landscape and memory*, Harper Collins, London, 1995.

define como "paisajes mito" en su libro *Landscape and memory*—, sino también las nuevas imágenes que resultan de haberlos modificado con objetivos utilitarios o de haberlos esgrimido como referencias. Estas imágenes, o paisajes conformados, nos representan y en ellas nos reconocemos. Siempre hay un paisaje por modificar, o uno susceptible de ser utilizado como referente; o, más aún, paisajes que son autorreferenciales.

¿Qué es más real, el sistema del Amazonas con sus brazos sinuosos o el sistema de recorridos de agua recortados de forma irregular en el Mangue das Garças de la ciudad amazónica de Belém?, ¿qué paisaje es referente de cuál? En un momento como el actual en el que los límites entre el objeto referido y el referente se desdibujan sutilmente a primera vista, el paisaje latinoamericano todavía conforma un material fácilmente reconocible e identificable.

Como todo retrato, el proyecto de arquitectura del paisaje tiene la responsabilidad de

Landscape and memory—but also the new images that result from modifying them according to utilitarian goals or from bandying them about as references. These images, or shaped landscapes, represent us and we recognise ourselves in them. There is always a landscape to modify, or one capable of being used as a referent; or, indeed, landscapes that are self-referential.

Which is more real, the Amazon system with its sinuous branches or the system of irregular watercourses in Parque del Manglar in the Amazon city of Belém? Which landscape is the referent of the other? In a time like our own in which the boundaries between the object referred to and the referent is, at first sight, subtly blurred, the Latin-American landscape still adds up to an easily recognisable and identifiable material.

Like any portrait, the landscape architecture project bears the responsibility of being faithful to the model, not as an exact copy which does not permit its re-creation but as a statement of the spirit of a place. The aim

**Vista aérea de orillas fluviales en Brasil.
Cordillera de los Andes.**
Aerial view of
riverbanks in Brazil.
The Andes.

ser fiel al modelo, pero no como copia exacta que no permita su recreación, sino como una exposición del espíritu de un lugar. El objetivo de este estudio es mostrar el alma de ciertos proyectos de paisaje en Latinoamérica con la misma fidelidad y pasión con la que han logrado exponerse in situ. Las ideas presentadas son fruto tanto de haber explorado y observado personalmente cada uno de los proyectos, como de haber indagado en las ideas de sus autores, usuarios y gestores políticos; pero, sobre todo, son fruto de la reflexión sobre un paisaje concreto, las razones para su modificación, sus procesos y resultados.

Los proyectos se han agrupado en cuatro temas: planes integrales de reconversión urbana; restauración y rehabilitación del paisaje; proyectos con fines turísticos y culturales; y proyectos residenciales. En los tres primeros apartados las variaciones de un mismo modelo de intervención en el paisaje responden a la necesidad de reconversión de usos de lugares deteriorados, abandonados o infrautilizados que se ha venido produciendo en las últimas décadas en todo el mundo. El cuarto apartado de proyectos residenciales explora proyectos privados de reutilización y restauración de paisajes.

Hacer paisaje: una actitud

Al narrar el paisaje a través de la figura de *Latinscapes* no sólo se pretende hacerlo tomando el paisaje como "un rico y complejo proceso de transversalidad y transición más que como entidad física en sí misma" —objetivo de esta colección, Land&Scapes—, sino que, además, esa figura debe verificarse como una actitud.

of this study is to bare the soul of certain landscape projects in Latin America with the same fidelity and passion that they have managed to put themselves across *in situ*. The ideas presented are the outcome of having personally explored and observed each of the projects as well as having investigated the ideas of their inventors, users and political promoters; but, above all, they are the outcome of thinking about a particular landscape, the reasons for its modification, its processes and direct results.

The projects have been grouped in four subject areas: master plans of urban reconversion; restoration and rehabilitation of the landscape; projects with tourist and cultural aims; and residential projects. In the three first sections the variations on a single model of intervention in the landscape respond to the need to reconvert the uses of deteriorated, abandoned or underused sites that have gradually been produced all over the world in recent decades.

The fourth section of residential projects explores private projects for the reutilisation and restoration of landscapes.

Making landscape: an attitude

When narrating landscape through the image of *Latinscapes*, not only is it hoped to do so by considering the landscape as "a rich and complex process of transversality and transition rather than a physical entity in itself"—the aim of this series, Land&Scapes—that image must also be substantiated as an attitude.

To accept landscape as a process of transversality is to understand it as a mathematical operation at the intersection of what the

Aceptar el paisaje como un proceso de transversalidad es entenderlo como una operación matemática de intersección entre lo que representan las esferas política, económica, social, estética y filosófica de un lugar concreto y la amplia esfera de la naturaleza y sus diferentes grados de modificación cultural. Esta transversalidad se da también en el tiempo y en el espacio, transformándose en un proceso de transición; el paisaje como una actitud se comprende más fácilmente a través de este concepto de dinamismo y dimensionalidad. ¿Cómo es posible, entonces, concebir la arquitectura del paisaje en Latinoamérica como un proceso de transversalidad y transición, como una manera de hacer paisaje?,

political, economic, social, aesthetic and philosophical spheres of a particular place and the wide natural sphere represent and its different degrees of cultural modification. This transversality also occurs in time and space, transforming itself into a process of transition; landscape as an attitude is more readily understood through this concept of dynamism and dimensionality.

How is it possible, then, to understand landscape architecture in Latin America as a process of transversality and transition, as a way of making landscape? How might landscape architecture in Latin America be shown as an attitude?

A first response has to do with regionalism, with the possibility of understanding a terri-

Bromelias en Panamá. Cactus en un atardecer andino.
Especies autóctonas, universos propios de forma, color y mecanismos biológicos de adaptación como referencia estética.

Air plants in Panama. Cactus in the Andean dusk.
Autochthonous varieties, individual worlds of shape, colour and biological mechanisms of adaptation as an aesthetic reference.

¿qué hace que la arquitectura del paisaje en Latinoamérica pueda mostrarse como una actitud? Una primera respuesta tiene que ver con la regionalidad, con la posibilidad de entender un territorio desde lo geográfico, lo étnico y lo cultural, como entidad e identidad; ello supone en consecuencia, aceptar cierta homogeneidad que permite el fácil reconocimiento de ciertas actitudes propias generales.

Latinoamérica no es la única entidad supranacional aparentemente susceptible de ser etiquetada como tal y capaz de explicar ciertas actitudes (de igual modo sería posible hablar de *Euroscapes* o *Americanscapes*, pero, sin embargo, nos encontramos ante tal diversidad que sería casi imposible tratar el tema como un conjunto). Que la arquitectura del paisaje en Latinoamérica pueda definir una manera específica de hacer paisaje se debe a que, como profesión, no está desarrollada al mismo nivel que en los países pioneros en el tema, como Estados Unidos o algunos países europeos. En los países latinoamericanos el arquitecto paisajista es el resultado de una experiencia personal en el tiempo o, en los casos de los más jóvenes, de haber cursado estudios académicos básicamente en el extranjero. Los programas docentes de las universidades latinoamericanas sobre este tema son en su mayor parte relativamente nuevos, y las posibilidades de cursar estudios completos sobre el tema son reducidas: los estudios universitarios de grado son escasos y la mayoría de los másters están todavía en proceso de formación. La arquitectura del paisaje en Latinoamérica es una actitud. En este sentido, el ejem-

tory from the geographical, ethnic and cultural angle as entity and identity; this presupposes, therefore, accepting a certain homogeneity that permits easy recognition of certain specific general attitudes.

Latin America is not the only supranational entity seemingly capable of being labelled as such and of explaining certain attitudes (in like manner, it would be possible to speak of Euroscapes or Americanscapes, but for all that we are faced with such diversity that it would be almost impossible to address the subject as a totality). That landscape architecture in Latin America may define a specific way of making landscape is due to the fact that it hasn't developed as a profession to the same degree as in countries that pioneered the subject, like the USA or some parts of Europe. In Latin-American countries the landscape architect comes out of long-term personal experience or, in the case of younger exponents, of having done academic studies, basically abroad. For the most part the teaching programmes of Latin-American universities on this subject are relatively new, and the possibilities of studying it are limited: degree courses are thin on the ground and most postgraduate courses are still in the process of being formed.

Landscape architecture in Latin America is an attitude. In that respect, the example of the Brazilian Roberto Burle Marx, and his way of looking at, utilising and recreating landscape as a means of aesthetic and cultural expression, has meant that his figure has become a referent in his own country as well as in the rest of the world. The trail Burle Marx blazed goes on being accepted

plo del brasileño Roberto Burle Marx, y su manera de mirar, utilizar y recrear el paisaje como medio de expresión estética y cultural, ha hecho que su figura se haya convertido en un referente tanto dentro de su país como en el resto del mundo. El camino que Burle Marx trazó sigue aceptándose y siguiéndose, aunque también siguen buscándose y detectándose nuevas necesidades, nuevos obstáculos y nuevas posibilidades. Ahora bien, ¿es único el marco político, social y económico —o ese paisaje— en Latinoamérica?, ¿es dicha homogeneidad lo suficientemente real como para expresar resultados formales únicos?

La raíz de *Latinscapes* —*latin* en inglés, o "latino" en castellano— es un término que actualmente constituye una "palabra-símbolo" que integra determinados rasgos culturales muy diferentes. Su transformación hacia un concepto más globalizador constituye un proceso de simplificación que deriva en la pérdida o confusión de ciertos matices. La regionalidad no implica necesariamente un todo único y absoluto; sus límites, que no dejan de ser convenciones, pueden llegar a desdibujarse; sus espacios fronterizos pueden llegar a superponerse al priorizar características culturales compartidas.

Latinscapes intenta mostrar una actitud general que se da en varios países con orígenes y conformaciones étnicas, con situaciones políticas y económicas comunes y un territorio geográficamente continuo. De esta similitud nace una actitud; sin embargo, las características específicas de cada territorio generan diferentes resultados formales.

and followed, although new needs, new obstacles and new possibilities are being sought and found.

Having said that, is the political, social and economic framework—or this landscape— unique to Latin America? Is this homogeneity sufficiently real to express unique formal results?

The root of *Latinscapes*—*latin* in English or *latino* in Spanish—is a term which currently amounts to a "word-symbol" that integrates given, but very different, cultural features. Its transformation into a more all-encompassing concept constitutes a process of simplification that leads to the loss or confusion of certain nuances. Regionalism doesn't necessarily involve a unique and absolute whole; its boundaries, which are inevitably conventions, can even become blurred; its frontier spaces may reach the point of being superimposed upon each other by giving priority to shared cultural characteristics.

Latinscapes attempts to display a general attitude that occurs in various countries with common ethnic origins and structures, common political and economic situations, and a geographically continuous territory. Out of this similarity an attitude is born: all the same, the particular characteristics of each territory generate different formal results.

The search as model

In landscape architecture, political, economic and social frameworks define not only local needs but also their models of response.

The needs of experimentation and enjoyment of both urban landscapes and landscapes at the boundary of the city and its natural surroundings have to do with world-

La búsqueda como modelo

En la arquitectura del paisaje, los marcos políticos, económicos y sociales definen no sólo las necesidades locales, sino también sus modelos de respuesta.

Las necesidades de experimentación y goce tanto de los paisajes urbanos como de los paisajes limítrofes entre la ciudad y sus entornos naturales tienen que ver con las consideraciones de orden mundial de un uso responsable de los recursos naturales, así como de las propias culturas y sociedades.

En consecuencia, los modelos que se aplican para atender estas necesidades también tienen su origen en las realidades comunes; las temáticas internacionales se modelan en respuestas locales.

La arquitectura del paisaje es una búsqueda constante de modelos y de su adaptación y aplicación responsable. El resultado de dicha aplicación —sea la creación de nuevos comportamientos sociales y/o nuevas interacciones espaciales o sus modificacio-

wide considerations that aim at a responsible use of natural resources, as well as with specific cultures and societies.

Consequently, the models that are applied in order to attend to these needs also have their origin in common realities; international themes are modelled on local responses.

Landscape architecture is a constant search for models and for their adaptation and responsible application. The result of this application—be it the creation of new kinds of social behaviour and/or new spatial interactions or their modifications—becomes the indicative factor of the degrees of success or failure of the model.

It is the search itself which largely defines the sphere of activity of landscape architecture in Latin America, a spontaneous search for options whose raw material resides in a number of unique, chaotic and inspiring landscapes that constantly redefine the societies which inhabit them.

Banco de piedra y de troncos en una calle de Valparaíso, Chile. Laderas construidas en Valparaíso.

Extremos opuestos en la escala de necesidad de utilización y modificación del paisaje.

Stone and log bench in a Valparaíso street, Chile. Built-up hillsides in Valparaíso.

Opposite extremes in the scale of need for utilising and modifying the landscape.

nes— se convierte en el factor indicativo de los niveles de éxito o de fracaso del modelo. Es la propia búsqueda la que define mayormente el campo de actuación de la arquitectura del paisaje en Latinoamérica, una búsqueda espontánea de opciones cuya materia prima reside en unos paisajes únicos, caóticos e inspiradores que redefinen constantemente las sociedades que en ellos habitan.

En una instalación realizada por encargo del Museo de Arte Latinoamericano de Buenos Aires (MALBA), el artista y urbanista belga Francis Alÿs intenta demostrar lo difícil que es alcanzar en la realidad latinoamericana unos resultados óptimos cuando se siguen modelos internacionales. *La instalación*, una película que repite en bucle la imagen de un espejismo en una cuneta de un camino en Patagonia, alude a la sensación de querer alcanzar algo que parece estar allí pero que, en realidad, es inalcanzable. Este mismo concepto de reflejar un mínimo resultado final conseguido mediante enormes esfuerzos dio origen a otras instalaciones desarrolladas en distintas ciudades latinoamericanas, como en Lima, donde 500 personas movieron unos pocos centímetros una duna de arena de 500 m de diámetro; o en Ciudad de México, donde un gran bloque de hielo se fue transportando por las calles de la ciudad durante todo un día hasta que se derritió por completo.

Sin embargo, el propio Alÿs hace especial hincapié en la importancia de esta búsqueda: "Para mí, el énfasis se encuentra en el acto mismo de la persecución, en esta huida hacia delante; considero el intento como el espacio productivo real".[2]

In an installation commissioned by the Museo de Arte Latinoamericano de Buenos Aires (MALBA), the Belgian artist and urbanist Francis Alÿs attempts to demonstrate how difficult it is to obtain optimum results in the Latin-American world when international models are followed. The installation, a film-loop that repeats the image of a mirage in a roadside ditch in Patagonia, alludes to the feeling of wanting to reach something that appears to be there but which is, in reality, unreachable. This same concept of reflecting a minimum final result arrived at through enormous effort gave rise to other installations in other Latin-American cities, as in Lima, where 500 people moved a sand dune some 500 metres in diameter a few centimetres; or in Mexico City, where a huge block of ice was transported through the city streets during a whole day until it was completely melted. However, Alÿs himself makes a special point of the importance of this search: "For me, the emphasis is on the act of pursuing itself, in this headlong flight; I see the attempt as the real space of production."[2]

The productive space of landscape architecture in Latin America reflects the spontaneous search and the adapting of models that arise as a response to natural landscapes which assert themselves through their visual strength and as a response to social landscapes that assert themselves through the harshness of their dysfunctions. How do we respond to the challenging landscape of Rio de Janeiro, with its rounded hills covered in vegetation and a seaboard which penetrates into the city without the latter devouring the landscape, may be the

[2] Alÿs, Francis, *Historia de un desengaño*, Patagonia, 2006 (16 mm, 2'15"), MALBA/ colección Costantini, abril-junio de 2006.

[2] Alÿs, Francis, *Historia de un desengaño*, Patagonia, 2006 (16 mm, 2'15"), MALBA/ Costantini Collection, April-June 2006.

El espacio productivo de la arquitectura del paisaje en Latinoamérica refleja la búsqueda espontánea y la adaptación de modelos que surgen como respuesta a unos paisajes naturales que se imponen por su fuerza visual y como respuesta a unos paisajes sociales que se imponen por la dureza de sus disfunciones.

Cómo responder al paisaje desafiante de Río de Janeiro, con sus morros poblados de vegetación y un borde marítimo que penetra en la ciudad sin que ésta fagocite el paisaje, puede ser la cuestión que Roberto Burle Marx intentó responder en su proyecto de la Avenida Atlântica en la playa de Copacabana (1970); un espacio fronterizo que refleja el color y la vida de sus habitantes y, a su vez, las formas y la dinámica de la naturaleza. En este caso, el espacio productivo no es sólo el resultado formal, sino la búsqueda intuitiva que nace como respuesta a un paisaje con alma. Hoy se suman otros paisajes y otras necesidades, pero la actitud sigue siendo la misma que en el caso de Burle Marx.

¿Cómo responder a la presencia infinita del río más ancho del mundo, el Río de la Plata, en Buenos Aires o Montevideo?, ¿o de las interminables pampas donde se pierde toda referencia a la escala humana? ¿Cómo responder a la constante presencia visual de cadenas montañosas en ciudades como Bogotá, Caracas o Santiago de Chile, que además representan reservas naturales cuya preservación es vital? ¿Cómo responder al paisaje urbano sobredimensionado de São Paulo y su pobreza, o a una ciudad amazónica cuya historia y necesidad de crecimiento definen su imagen y a sus habitan-

question Roberto Burle Marx attempted to answer in his project for the Avenida Atlântica at the Copacabana beach (1970); a frontier space that reflects the colour and life of its inhabitants and, in turn, the forms and dynamics of nature. In this instance the productive space is not only the formal result but the intuitive search which arises as a response to a soulful landscape. Today, other landscapes and other needs come up, but the attitude goes on being the same as in Burle Marx's case.

How do we respond to the infinite presence of the widest river in the world, the Río de la Plata (or River Plate) in Buenos Aires or Montevideo? Or to the endless pampas where all reference to human scale is lost? How do we respond to the constant visual presence of mountain ranges in cities like Bogotá, Caracas or Santiago, which, moreover, involve nature reserves whose preservation is vital? How do we respond to the oversized urban landscape of São Paulo and its poverty, or to an Amazon city whose history and need for growth define its image and to its inhabitants? How do we respond to the chaotic immensity of Mexico City and to the spontaneity with which its citizens own the space?

The range of the answers to these questions ought to be measured by bearing in mind the reality referred to or the application of a given model without establishing comparisons with other results originating in other realities.

The leading characters of the search
An important point, and one which reinforces the idea of the intuitive search, is the

tes? ¿Cómo responder a la inmensidad caótica de Ciudad de México y a la espontaneidad con la que sus ciudadanos se apropian del espacio?
La envergadura de las respuestas a estas preguntas debería medirse teniendo en cuenta la realidad de referencia o la aplicación de determinado modelo, sin establecer comparaciones con otros resultados provenientes de otras realidades.

Los protagonistas de la búsqueda
Un punto destacable y que refuerza la idea de la búsqueda intuitiva es el predominio de proyectistas aislados, casi "héroes solitarios", que trabajan en sociedades y realidades caóticas. La mayoría de los proyectos que acaban completándose —y, de hecho, todos los que se presentan en este libro— son resultado del trabajo de una persona que abre caminos en lugar de recorrer otros conocidos y transitados.
No es casual que Diana Wiesner sea la única paisajista convocada en los proyectos más relevantes de renovación integral de Bogotá, ni tampoco que en Brasil Fernando Chacel y Rosa Kliass sean los referentes de la profesión; ni que en Chile se identifique a Carlos Martner como única figura sobresaliente del paisaje público comprometido con la historia local; a Juan Grimm en proyectos residenciales con una máxima expresión de la vegetación autóctona; o a Germán del Sol como alguien que conjuga impecablemente las formas puras de la arquitectura con las líneas orgánicas naturales. Otros tantos personajes de otros países o ciudades latinoamericanas (muchos de los cuales aparecen en este libro) se han

predominance of isolated planners, "solitary heroes" almost, who work in chaotic societies and realities. Most of the projects that are finally completed—and, in point of fact, all those presented in this book—are the result of the work of one person who blazes a new trail instead of keeping to other known and well-travelled paths.
It is not by chance that Diana Wiesner is the only landscape designer convoked in the more major projects for the integral renewal of Bogotá, nor that in Brazil Fernando Chacel and Rosa Kliass are the key references for the profession; nor that in Chile Carlos Martner is identified as the one outstanding figure in public landscape design committed to local history; Juan Grimm in residential projects with a maximum expression of autochthonous vegetation; or Germán del Sol as someone who impeccably combines the pure forms of architecture and the organic lines of nature. Many other people from other Latin-American countries or cities (many of whom appear in this book) have been trained through working in this field for years or after studying abroad, as is the case of the younger ones. Nevertheless, not only must landscape architects be taken into account but also politicians and those responsible for making decisions, who must be capable of generating the right framework for correct decision-making by shaping the time periods, policies and kinds of knowledge necessary to seeing a project through. It is then that models are readapted and transformed into possible guides for future initiatives.
Thus, it is worth pointing out, for example, that in order to carry out the renewal plan

formado a través del trabajo en este campo durante años o después de realizar estudios en el extranjero, como es el caso de los más jóvenes. Sin embargo, no sólo debe tenerse en cuenta a los arquitectos del paisaje, sino también a políticos y a aquellos que ocupan cargos con capacidad de decisión que deben ser capaces de generar el marco adecuado para la correcta gestión, modelando los tiempos, las políticas y los conocimientos necesarios para llevar a cabo un proyecto. Es entonces cuando los modelos se readaptan y se transforman en posibles guías para futuras iniciativas.

En este sentido, cabe destacar, por ejemplo, que para llevar a cabo el plan de renovación de Bogotá haya sido necesario el esfuerzo político de tres gobiernos municipales consecutivos para concienciar a la gente, generar los recursos económicos y poder concretar los proyectos de renovación integral de la ciudad. Una figura política sobresaliente, el alcalde Enrique Peñalosa, cuya visión innovadora y dinámica de acción es poco común en estas latitudes, permitió la realización y continuidad de los proyectos, no sólo dejando huella en la capital colombiana, sino también sentando un precedente para otras ciudades del país, como Medellín. Otro ejemplo destacado es el brasileño Paulo Chavez, secretario de Cultura del Estado de Pará, quien lideró los procesos de gestión política y económica necesarios para la total restauración y revalorización del paisaje urbano de Belém. Mientras este tipo de figuras "solitarias y heroicas" es excepcional en otras latitudes, no lo es tanto en Latinoamérica, donde todavía no existe una conciencia guberna-

for Bogotá the political efforts of three consecutive municipal governments have been necessary in order to make people aware, to generate the economic resources and to be able to come up with the projects for the integral renewal of the city. An outstanding political figure, Mayor Enrique Peñalosa, whose innovative and dynamic vision of intervening is most uncommon in this part of the world, facilitated the realising and continuity of the projects, not only making a mark on the Colombian capital but also setting a precedent for other cities in the country like Medellín. Another outstanding example is the Brazilian Paulo Chavez, Secretary of Culture for the State of Pará, who led the processes of political and economic management necessary for the total restoration and upgrading of the urban landscape of Belém. While these kinds of "solitary and heroic" figures are exceptional in other parts of the world, they are less so in Latin America, where there still does not exist a stable governmental awareness that politically and financially supports the creation and implementation of public policies of urban development.

At present, both political awareness and the definition and formalisation of university education are gradually assuming a more important role in the process of seeking models and responses in Latin America. In the last few years, in fact, various landscape architecture initiatives and projects have grown out of the successful conjunction of governments and universities or research institutions sharing common goals and a will to work together.

In the case of residential projects in Latin

mental estable que soporte, política y financieramente, la creación e implementación de políticas públicas de desarrollo urbano. En la actualidad, tanto la conciencia política como la definición y formalización de la formación universitaria van tomando un papel más protagonista en el proceso de búsqueda de modelos y respuestas en Latinoamérica. De hecho, varias iniciativas y proyectos de arquitectura del paisaje de los últimos años han nacido de la conjunción exitosa entre gobierno y universidades o instituciones de investigación, con planteamientos de objetivos comunes y desarrollo de esfuerzos conjuntos.

En el caso de proyectos residenciales en Latinoamérica ocurre algo similar al resto del mundo: los grandes proyectos se adjudican a las élites y otros más modestos suelen reservarse a una minoría. Es importante remarcar que la materia prima con la que se trabaja es la presencia de paisajes formal y visualmente únicos que definen una actitud proyectual solitaria de búsqueda y preservación del "alma" de esos paisajes. Además, están implícitos el entender y poner en valor determinados significados culturales y ecológicos del paisaje local que entonces se transforman en condición de proyecto: los acantilados rocosos de la costa chilena, las llanuras pampeanas de Buenos Aires, los remanentes de la *mata* atlántica brasileña o la exuberancia del trópico centroamericano. En los casos donde el paisaje social no tiene la misma relevancia como dato de proyecto, el componente más característico es la preservación y honesta exposición de los paisajes naturales.

America something similar occurs as elsewhere in the world: large projects are adjudicated to the elites, and other more modest ones are usually restricted to a minority. It is important to note that the raw material with which these projects work is the presence of formally and visually unique landscapes that define a solitary design attitude of seeking after and preserving the "soul" of these landscapes. Furthermore, the understanding and valorising of certain cultural and ecological meanings of the local landscape are implicit and consequently transformed into design conditions: the rocky cliffs of the Chilean coast, the prairie flatlands of Buenos Aires, the remnants of Atlantic Forest in Brazil or the exuberance of the Central-American tropics. In instances where the social landscape doesn't have the same relevance as a design datum, the most characteristic component is the preservation and honest showing of natural landscapes.

Landscape as raw material
With the establishing of landscape architecture as a discipline during the 20th century, the philosophical concept of landscape has gradually been re-explored and redefined, and the original idea of man as an observer and subsequent modifier of the landscape has been confirmed. Landscape is therefore outlined as modifiable material.
The passing of time made the delimitation of the profession clearer and nowadays the functions of the landscape architect are more specific. Landscape is modelled and remodelled, created and recreated, restored, imitated, re-established, reorganised and re-originated.

El paisaje como materia prima

Con el establecimiento de la arquitectura del paisaje como disciplina a lo largo del siglo XX, el concepto filosófico de paisaje se ha ido reexplorando y redefiniendo, y confirmándose también la idea original del hombre como observador y como posterior modificador del paisaje. El paisaje se delinea entonces como materia modificable.

El paso del tiempo fue haciendo más clara la delimitación de la profesión y, hoy en día, las funciones del arquitecto paisajista van haciéndose más específicas. El paisaje se modela y se remodela, se crea y se recrea, se restaura, se imita, se vuelve a establecer, organizar y originar.

Sin embargo, no es posible originar un nuevo paisaje que no esté enraizado con otro existente. Tampoco se crea una nueva cultura a partir del paisaje, sino que en todo caso se refuerza, realimenta, estimula y/o desdobla una cultura previa, cobrando así una importancia vital el concepto del "paisaje social".

¿Qué hace entonces que el paisaje latinoamericano pueda percibirse y entenderse desde una perspectiva más visceral y menos académica, como materia prima a partir de la cual establecer modelos identificativos? Tanto el paisaje natural como el social en Latinoamérica son de una enorme magnitud visual y cultural. Al contrario que en otras realidades políticas y económicas más avanzadas, donde el paisaje existente es una herramienta más —como lo son la técnica, la estabilidad del marco político y el peso de la academia establecida—, en Latinoamérica estos factores no están desarrollados al mismo nivel y no consiguen

However, it isn't possible to originate a new landscape that isn't rooted in another, preexisting, one. Neither is a new culture created on the basis of the landscape; instead landscape eventually reinforces, renurtures, stimulates and/or reduplicates a previous culture, the concept of "social landscape" thus assuming vital importance.

Why is it, then, that the Latin-American landscape might be perceived and understood from a more visceral and less academic standpoint, as a raw material from which to establish identifying models?

In Latin America both the natural and the social landscape are of an enormous visual and cultural magnitude. Unlike other more advanced political and economic realities in which the existing landscape is one more tool—as are technology, the stability of the political framework and the weight of established academia—in Latin America these factors are not developed to the same degree and do not manage to become a sufficiently powerful stimulus; landscape stands out between them and turns into a generous, decisive material and, in turn, into the reason for a more profound search.

In all likelihood, the great merit of Latin-American landscape design is that "expertise" emerges as a necessity of living, displaying, utilising and maximising that landscape and its ongoing intuitive and experimental process.

Would, perhaps, the examples presented here be so noteworthy if they responded to less spectacular or singular landscapes? Aside from the aesthetic and cultural value of each of the projects and the stance designers adopt in relation to these, the politi-

convertirse en un estímulo suficientemente poderoso; el paisaje sobresale entre ellos y se convierte en una materia generosa y determinante y, a su vez, en la razón para una búsqueda más profunda.

Probablemente, el gran mérito del paisajismo latinoamericano es que el "hacer" surge como una necesidad de vivir, mostrar, utilizar y potenciar ese paisaje y su consecuente proceso intuitivo y experimental.

¿Serían acaso los ejemplos que aquí se presentan tan destacables si respondieran a unos paisajes menos espectaculares o singulares?

Más allá del valor estético y cultural de cada uno de ellos y de la posición de los proyectistas frente a los mismos, el marco político se yergue también como factor esencial que permite particularizarlos. Marco que permite su gestión más allá de las carencias y obstáculos típicos de la región.

Sin embargo, sin la incorporación de elementos de los diversos paisajes, la recreación de sus especificidades o sus referencias históricas y culturales, estos proyectos perderían gran parte de su valor. La profesión de la arquitectura del paisaje en Latinoamérica intenta definir esa necesidad local de experimentación y esa intuición y capacidad para resolver el binomio hombre-naturaleza.

cal framework is also set up as an essential factor which enables them to be particularised and managed above and beyond the shortcomings and obstacles typical of the region.

Having said that, without the incorporation of elements of the different landscapes, the recreation of their specificities or their historical and cultural references, these projects would lose much of their value. The landscape architecture profession in Latin America attempts to define this local need for experimentation and this intuition and capacity in order to resolve the man/nature binomial.

Retratos
Portraits

Planes integrales de reconversión urbana
Master plans of urban reconversion

La reconversión del paisaje urbano ha sido el área de acción de la arquitectura del paisaje más desarrollada durante las últimas décadas en el ámbito internacional como respuesta al crecimiento desaforado de las ciudades y de las infraestructuras de transporte, colonizando sus espacios vulnerables y sus límites. Este hecho ha tenido como consecuencia la degradación de los recursos naturales y una drástica reducción de calidad de vida.

Casi todas las ciudades latinoamericanas son caóticas y sufren graves daños medioambientales. Los niveles de polución de Ciudad de México, Santiago de Chile y Caracas se encuentran entre los más altos del planeta; los niveles de pobreza de Bogotá, São Paulo y recientemente también de Buenos Aires son preocupantes; el desorden visual urbano es una característica común a todas ellas y, en algunos casos, desgraciadamente definitoria.

Sin embargo, cada una de esas ciudades se ha desarrollado a partir de un paisaje cuya estructura e imagen siguen teniendo unas señas identificativas. Formando parte de una realidad y un problema global —y de la consiguiente búsqueda de modelos y respuestas—, diferentes ciudades latinoamericanas se han embarcado en procesos de renovación integral para revalorizar los paisajes originales y las estructuras que los han ido modificando.

Los planes integrales tienen un desarrollo muy lento que conlleva mayores y mejores interconexiones, tanto profesionales como políticas. Los tiempos en Latinoamérica son aún más lentos si cabe y las interconexiones menos eficaces, con lo que el proceso se vuelve más complejo y difícil de completar.

Over the last few decades the reconversion of the urban landscape has been landscape architecture's most developed area of action in the international sphere as a response to the huge growth of cities and transport infrastructures, colonising its vulnerable spaces and its boundaries. This fact has led to the degradation of natural resources and a drastic reduction in the quality of life.

Almost all Latin-American cities are chaotic and suffer serious environmental damage.

The pollution levels of Mexico City, Santiago and Caracas are among the highest on the planet; the levels of poverty of Bogota, São Paulo and recently Buenos Aires, too, are worrying; urban visual disorder is a feature common to them all and in some cases all-encompassing, alas.

All the same, each of these cities has evolved from a landscape whose structure and image go on having a number of identifying signs. Forming part of a reality and a global problem—and of the consequent search for models and response—various Latin American cities have embarked on processes of integral renewal in order to upgrade their original landscapes and the structures that have gradually modified them.

Master plans have an extremely slow development involving more and better interconnections, both professional and political. Time periods in Latin America are even slower, if that is possible, and interconnections less efficient, so that the process becomes more complex and difficult to complete.

Plan de renovación urbana de Bogotá, Colombia

Urban renewal plan for Bogota, Colombia

1997-2004

1997-2004

La montaña, los ríos, el verde típicamente bogotano y el ciclo de lluvias, junto a las ansias y la necesidad de crecer y dominar los limites físicos, dio como resultado la pérdida de recursos y de calidad del espacio.
Sin embargo, un día, no hace mucho, comenzó un proceso que poco a poco va revirtiendo, restaurando la ciudad, convirtiéndola en un lugar más habitable y sano.

En los últimos 35 años, la capital de Colombia pasó de tener una población de aproximadamente un millón de habitantes a siete millones. Sin embargo, los problemas que comportó este crecimiento no se debieron únicamente a la superpoblación, sino también a la falta de planificación.

The mountains, rivers, typical Bogota greenery and cycle of rains, along with the anxiety and need to grow and to prevail over physical boundaries, led to the loss of resources and spatial quality. However, not so long ago a process began which little by little is restoring the city, giving it back its old identity, converting it into a more inhabitable and healthier place.

Over the last thirty-five years the capital of Colombia went from having a population of approximately one million inhabitants to seven million. For all that, the problems this growth brought with it were not due solely to overpopulation but also to the lack of planning. Due to the continual development of spontaneous urban and suburban

→
Bogotá: al este los Cerros Orientales y al oeste el río Bogotá.

Bogotá: to the east the Cerros Orientales, to the west the Bogota River.

Fotografía aérea del lugar semiabandonado que se transformó en Parque del Tercer Milenio.

Aerial photo of the semi-abandoned spot that was transformed into Parque del Tercer Milenio.

29 Latinscapes

Debido al desarrollo continuo de asentamientos urbanos y suburbanos espontáneos, la invasión de territorios ambientalmente vulnerables —como las laderas de los cerros o las orillas de las masas de agua— derivó en una creciente presión sobre los mismos y en la destrucción de los paisajes originales. En 1997, a instancias del gobierno nacional

settlements, the invasion of environmentally vulnerable territories—like the sides of the hills or the banks of bodies of water—led to growing pressure on these and to the destruction of the original landscapes.

In 1997, at the request of the national government, the Territorial Development Plan (Plan de Ordenamiento Territorial or POT) began to be elaborated in each Colombian city. The set of priorities this plan established included the restoration of the environment, the upgrading of public space and the participation of the citizenry, all these interventions being in keeping with the immediate aim of reconstituting the city's natural and urban systems.

The three municipal governments that succeeded one another from 1997 until 2003 respectively sought to prepare the city cul-

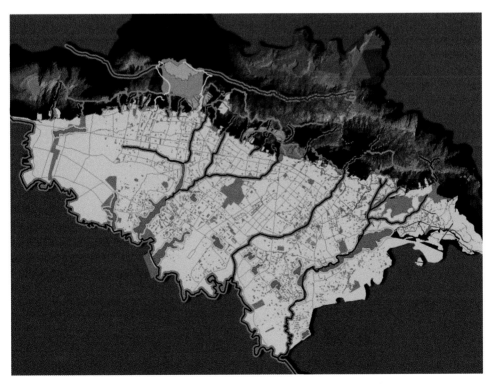

Humedal de Santa María recuperado.
Rehabilitated Santa María wetland.

Zona de descanso del circuito de *footing* en el humedal de Santa María.
Rest areas on the jogging circuit in Santa María wetland.

Arroyo que atraviesa el Parque del Virrey en dirección este-oeste.
Stream crossing Parque del Virrey in an east-west direction.

en cada una de las ciudades colombianas, se comenzó a elaborar el Plan de Ordenamiento Territorial (POT) que estableció como prioridades la restauración del medio ambiente, la revalorización del espacio público y la participación ciudadana, enmarcando todas las intervenciones con el fin de recomponer los sistemas naturales y urbanos de la ciudad a partir de ese momento. Los tres gobiernos municipales que se sucedieron desde 1997 hasta 2003 se ocuparon respectivamente de preparar cultural y económicamente la ciudad y concretar los proyectos más importantes, como los referidos a la vialidad, la peatonalización y la reforestación. El plan fue particularmente impulsado y desarrollado por el alcalde Enrique Peñalosa en la última legislatura municipal. La estructura física de Bogotá está conformada por los Cerros Orientales, una cadena montañosa que llega a alcanzar los 3.300 m de altura, y el río Bogotá como límite occidental, que desagua los arroyos y ríos que atraviesan la ciudad. Actualmente, los ríos principales y algunos arroyos están entubados y los humedales fragmentados por el trazado de nuevas vías de tráfico, impidiendo de esta manera el ciclo natural del agua que mantenía el equilibrio del sistema e impedía inundaciones en tiempos de la colonia.
Para facilitar la identificación de problemas y la implementación de nuevos proyectos y soluciones urbanas, se delineó la estructura ecológica primaria de la ciudad —como elemento de conexión regional— que aglutina sus corredores naturales y sus áreas más importantes. Asimismo, para concretar esta

turally and economically, and to realise the most important projects, such as those referring to the road system, pedestrianisation and reforestation. In particular, the plan was promoted and developed by Mayor Enrique Peñalosa in the final municipal legislature. Bogota's physical structure is created by the Cerros Orientales, a mountain range that reaches heights of 3,300 metres, with, as its western boundary, the Bogota river which drains the streams and rivers that cross the city. Nowadays, the main rivers and some of the streams are piped and the wetlands are broken up by the new road layout, thus hampering the natural water cycle which maintained the balance of the system and prevented flooding in the colonial period. In order to facilitate the identification of problems and the implementation of new projects and urban solutions, the city's primary ecological system was delineated as an element of regional connection: this system binds together its natural corridors and its most important areas. Likewise, in order to realise this longed-for reconnection, three lines of action or integral plans were proposed: the restoration of the urban wetlands and the banks of the Bogota river, the Management Plan for the Cerros Orientales and their connection with the system of green zones, and the reforestation and revitalisation of the parks system.
Landscape architect Diana Wiesner was put in charge of the management of these three plans, developed by mixed teams consisting of architects, engineers and other specialists.[1] Worth highlighting in the first plan is the restoration of the wetland of Santa María

[1] Interventions director of the Bogota River ZMPA Master Plan for the creation of 250 hectares of artificial wetland and the restoration of 33 km of riverbank; director of the Cerros Orientales Zonal Plan in their contact with the regional territory; Master Plan for the Cerros Orientales Recreational and Environmental Corridor; co-director of the Green Manual for Bogota (a strategy for the urban reforestation programme).

ansiada reconexión se plantearon tres líneas de acción o planes integrales: la restauración de los humedales urbanos y las riberas del río Bogotá, el Plan de Manejo de los Cerros Orientales y su conexión con el sistema de espacios verdes, y la reforestación y la revitalización del sistema de parques.

La arquitecta paisajista Diana Wiesner estuvo a cargo de la dirección de estos tres planes, desarrollados por equipos mixtos integrados por arquitectos, ingenieros y otros especialistas.[1]

En el primer plan cabe destacar la restauración del humedal de Santa María (7 hectáreas) ubicado en una zona residencial, que había sido negado y convertido en vertedero. Tras la limpieza y canalización de aguas fecales y la replantación de especies autóctonas, se remodelaron las riberas y se trazó un circuito perimetral de *footing* con zonas de descanso y relax. Actualmente, el lugar está abierto al público durante el día, y constituye un oasis verde dentro de la zona, donde se pueden encontrar pequeños animales acuáticos, roedores y pájaros silvestres, y donde los vecinos pasean, descansan o hacen ejercicio.

En el segundo plan destacan la restauración y renovación de parques lineares en dirección este-oeste coincidiendo con el trazado original de los ríos y los arroyos que atraviesan la ciudad procedentes de los cerros. En algunos de estos parques, las masas de agua todavía existían; se restauraron sus bordes con ladrillo, hormigón o césped. Se dotó al Parque del Virrey, uno de los más urbanos

(7 hectares), located in a residential area, which had been disowned and converted into a rubbish dump. After the cleaning and canalisation of sewage and the replanting of autochthonous varieties, the banks were remodelled and a perimetral jogging track laid out, with rest and relaxation areas. As of now, the place is open to the public during the day and forms a green oasis within the area, where small aquatic animals, rodents and wild birds can be found, and where local people stroll, relax or do exercise.

Of note in the second plan is the restoration and renovation of linear parks running east-west and coinciding with the original layout of the rivers and streams that cross the city after descending from the hills. In some of

[1] Director de intervención del Plan Maestro de la ZMPA del río Bogotá para la creación de 250 ha de humedales artificiales y la restauración de 33 km de ribera fluvial; director del Plan Zonal de los Cerros Orientales en su contacto con el territorio regional; Plan Maestro del Corredor Recreativo y Ambiental de los Cerros Orientales; codirector del Manual Verde para Bogotá (estrategia para el programa de arborización urbana).

Nuevos carriles para bicicletas del Parque del Virrey que forman parte del sistema de la ciudad.

New bike lanes in Parque del Virrey that form part of the city system.

de la ciudad, con nuevas luminarias y un ca-rril para bicicletas, en uno de sus lados, que forma parte del nuevo sistema de carriles bici de la ciudad. Por otro lado, en la Quebrada de la Vieja, un parque agreste con vegetación autóctona y saltos de agua, se restauraron las áreas públicas conservando su espíritu de bosque urbano. En ambos

these parks, the bodies of water still existed; their edges were restored with brick, concrete or grass. Parque del Virrey, one of the city's most urban, was provided with new lighting and a bicycle path on one side of it which forms part of Bogota's new system of bike lanes. In contrast, Parque de Quebrada de la Vieja, a more rural-looking park with

Fuente del Parque del Tercer Milenio, donde antes corría el río San Francisco. Por detrás, taludes con plantas rastreras y trepadoras aíslan acústicamente y enmarcan el entorno.

Fountain in Parque del Tercer Milenio, where the River San Francisco once flowed. Behind, embankments with creeping and climbing plants acoustically isolate and frame the setting.

ejemplos, la visión de los cerros distantes aparece como referencia al paisaje original que conforma la ciudad.

Para la reforestación de la ciudad —que forma parte del último plan de intervención de paisaje— se llevaron a cabo estudios exhaustivos de las especies más aconsejables y de sus características, análisis de las precipitaciones, la contaminación y el asoleo, así como inventarios de las especies botánicas existentes y su estado. De este modo, se establecieron las diferentes necesidades de densidad de arborización y cientos de miles de árboles han sido plantados desde 1999. Además, cabe destacar la creación de nuevos parques de marcado carácter social. Es el caso del Parque del Tercer Milenio, situado en una de las zonas más peligrosas y degradadas de la ciudad, a sólo cinco manzanas del centro gubernamental del país. Con sus 25 hectáreas, este parque dotó de un espacio público a los residentes de una zona totalmente carente de ellos. Pensado para un mantenimiento bajo, el parque se cierra con unos taludes verdes, que funcionan de pantalla de protección acústica y dan mayor seguridad al lugar (el parque ganó el primer premio de la XX Bienal de Arquitectura de Colombia de 2006 en la categoría de urbanismo y paisajismo).

El paso positivo que ha dado Bogotá entre los años 2000 y 2004 es fruto de los esfuerzos políticos de sus gobiernos y el consiguiente cambio de la conciencia pública. En la actualidad la ciudad ofrece una imagen más ordenada, un sentido de espacio público y, sobre todo, unas nuevas esperanzas de constancia frente al cambio.

autochthonous vegetation and waterfalls, had its public areas restored by preserving its urban wood spirit. In both examples the vision of distant hills appears as a reference to the original landscape that shapes the city. For the reforestation of the city—which forms part of the most recent landscape intervention plan—exhaustive studies were carried out of the more advisable varieties and of their characteristics, analysis of rainfall, pollution and insolation levels, as well as inventories of the extant botanical varieties and their state. In this way the different density needs of trees were established and thousands of them have been planted since 1999. Worth highlighting, moreover, is the creation of new parks of a markedly social nature. This is the case with Parque del Tercer Milenio, situated in one of the most dangerous and rundown areas of the city, only five blocks away from the country's centre of government. With its 25 hectares, this park offers a public space to the residents of an area totally lacking in them. Thought out in terms of low-level maintenance, the park is blocked off with green embankments that function as an acoustic screen and give greater security to the place. (The park won first prize in the urbanism and landscape design category at the 20th Colombian Architecture Biennial). The positive step Bogota has taken between 2000 and 2004 is an outcome of the political efforts of its governments and the consequent change in public awareness. Presently, the city displays a more ordered image, a sense of public space and, above all, new hopes of steadfastness in terms of change.

Plan Maestro para las áreas verdes de Puerto Madero y la restauración de la Costanera Sur, Buenos Aires, Argentina

Alfredo Garay, Néstor Magariños, Marcelo Vila, Adrián Sebastián, Graciela Novoa, Irene Joselevich, Cajide y Verdechia Arquitectos Asociados

1999-2007

Master plan for the green areas of Puerto Madero and the restoration of the Costanera Sur, Buenos Aires, Argentina

Alfredo Garay, Néstor Magariños, Marcelo Vila, Adrián Sebastián, Graciela Novoa, Irene Joselevich, Cajide y Verdechia Arquitectos Asociados

1999-2007

Entre Buenos Aires y el Río de la Plata, un espacio histórico, relegado durante un siglo, vuelve hoy a ocuparse. Sus nuevos espacios verdes y sus antiguas piezas revalorizadas se reconfiguran como una red única subyacente que entreteje y conecta la ciudad con el río.

Buenos Aires es la única capital latinoamericana que se desarrolla en una planicie; no existen elementos del relieve que sirvan de referencia visual, de orientación o simplemente de marcas que conformen su iconografía urbana. Sin embargo, sí tiene la referencia del río a cuyas orillas nació y se desarrolló: el Río de la Plata, el río más ancho del mundo con una superficie de 30.000 km² y cuya desembocadura al océano Atlántico alcanza una anchura de

Between Buenos Aires and the Río de la Plata, an historic space, consigned to oblivion for a century, is once again occupied today. Its new green spaces and its upgraded elements are reconfigured as a single underlying network that interweaves and connects the city with the river.

Buenos Aires is the only Latin-American capital that spreads forth on a plain; elements of surface relief that serve as a visual reference, for orientation, or simply as features that shape its urban iconography do not exist. For all that, it does have the reference of the river on whose banks it was born and grew up: the Río de la Plata, the widest river in the world with a surface area of 30,000 km² and whose mouth into the

Plan Maestro para las áreas verdes de Puerto Madero
y la restauración de la Costanera Sur, Buenos Aires,
Argentina

36 Latinscapes

230 km. Históricamente, el río fue la entrada a la ciudad y el motor de una primera economía pujante, como en toda ciudad-puerto.

Puerto Madero, el primer puerto de Buenos Aires, fue construido entre 1887 y 1897 tomando como modelo los grandes puertos ingleses; sus instalaciones dieron servicios a la ciudad hasta 1910, fecha en la que, debido a las necesidades de ampliación, se convocó un concurso para llevar a cabo un segundo proyecto. Con la construcción de Puerto Nuevo (1911-1926), Puerto Madero quedó sin actividad y el lugar fue abandonado.

No fue hasta 1989, con la creación de la Corporación Antiguo Puerto Madero, que contó con la cooperación del Ajuntament de Barcelona,[2] que se comenzó a concretar

Atlantic Ocean reaches a width of 230 km. Historically, the river was the entrance to the city and the motor of a vigorous early economy, as in any port city.

Puerto Madero, Buenos Aires's first port, was built between 1887 and 1897 on the lines of the great English ports; its installations serviced the city until 1910, a date in which, due to the need to expand, a competition was convoked to implement a second project. With the building of Puerto Nuevo (1911-1926), Puerto Madero remained inactive and the place was abandoned.

It wasn't until 1989, with the creation of the Corporación Antiguo Puerto Madero (Old Puerto Madero Corporation), which had the cooperation of Barcelona City Council,[2] that a project for rehabilitating and developing the area began to be specified: the

[2] Marco Convenio firmado entre la Municipalidad de Buenos Aires y el Ajuntament de Barcelona (1985).

[2] Framework Agreement signed between the Municipality of Buenos Aires and Barcelona City Council (1985).

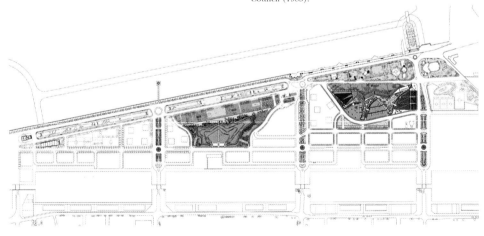

Planta general de Puerto Madero. En verde los dos nuevos parques; en la parte posterior, la alameda y la Costanera Sur frente a la laguna de los

Coypos y la entrada a la Reserva Ecológica; en la parte delantera, la nueva zona residencial frente a los canales, cruzados por bulevares y puentes.

General plan of Puerto Madero. In green, the two new parks; to the rear, the tree-lined walk and the Costanera Sur opposite the Laguna de los

Coypos and the entrance to the Eco-Reserve; in front, the new residential area opposite the canals, crossed by boulevards and bridges.

Master plan for the green areas of Puerto Madero and
the restoration of the Costanera Sur, Buenos Aires,
Argentina

37 Latinscapes

**Vista aérea de la plaza
del Sol, en el parque
Micaela Bastidas. Al
fondo, arboledas que en-
marcan la Costanera Sur,
donde se adivina la silueta de las antiguas instalaciones portuarias.
Aerial view of Plaza del
Sol in Parque Micaela
Bastidas. In the back-
ground, coppices framing
the Costanera Sur, where
the silhouette of the old
port installations can be
made out.**

un proyecto de recuperación y desarrollo del área: el Máster Plan Puerto Madero, que incluía la recuperación de todos los edificios portuarios y un total de tres millones de metros cuadrados de nueva construcción para usos diversos. Algunos de los nuevos proyectos estaban firmados por arquitectos de renombre internacional, como el icónico Puente de la Mujer de Santiago Calatrava.

Con el objetivo específico de diseñar las áreas verdes de este nuevo plan, la Corporación suscribió un contrato con la Municipalidad de Buenos Aires en 1991y convocó un concurso nacional de anteproyectos fallado en 1996 y puesto en marcha en 1999. El concurso incluía la revitalización y revalorización de la Costanera Sur, una pieza histórica que había servido como

Puerto Madero Master Plan, which included the rehabilitation of all the port buildings and a total of 3M m² of new construction for different uses. Some of the new projects were signed by architects of international repute, such as Santiago Calatrava's Puente de la Mujer.

With the specific aim of designing the green areas of this new plan, the Corporation signed a contract with the Municipality of Buenos Aires in 1991 and convoked a national competition of blueprints announced in 1996 and put into action in 1999. The competition included the revitalisation and upgrading of the Costanera Sur (South Wharf), an historical feature that had served as a public walkway above the river from 1918 until the 1960s, a period in which it was abandoned.

Plan Maestro para las áreas verdes de Puerto Madero
y la restauración de la Costanera Sur, Buenos Aires,
Argentina

38 Latinscapes

paseo público sobre el río desde 1918 hasta la década de 1960, época en la que fue abandonada. En sus orígenes, la Costanera Sur se utilizaba como zona pública de baño, pero con el tiempo las aguas se fueron contaminando y un nuevo hábitat de flora y fauna silvestre creció a sus orillas eliminando toda conexión directa con el río. Este área natural, originada por el relleno de tierras, formó parte de uno de varios proyectos inconclusos para la zona y, en 1985, fue declarada finalmente reserva ecológica.

El proyecto para las nuevas zonas verdes, de 20 hectáreas de superficie, trabaja con piezas urbanas interconectadas entre sí que, a su vez, se conectan con la trama existente. Ubicado entre el borde del río y la ciudad, Puerto Madero constituye también una pieza urbana de conexión.

Primero se plantearon unos bulevares perpendiculares a los canales y alineados con los puentes que los cruzan hacia un lado y, hacia el otro, con importantes avenidas de la ciu-

Originally, the Costanera Sur was used as a public bathing area, but as time went by the water became polluted and a new habitat of wild flora and fauna emerged on its banks, thus eliminating any direct connection with the river. This natural spot, an outcome of landfill operations, is part of one of various unfinished projects for the area, and in 1985 it was finally declared an eco-reserve. The project for the new green areas, with a surface area of 20 hectares, works with mutually interconnected urban pieces that are in turn connected with the existing fabric. Located between the edge of the river and the city, Puerto Madero also constitutes an urban connecting element.

First, a number of boulevards were laid out perpendicular to the canals and aligned with, towards one side, the bridges that cross them and, towards the other, with the city's main avenues. These exclusively pedestrian boulevards have benches, lighting and other urban features, and planted

Puerto Madero: nueva zona de oficinas frente a las antiguas dársenas del puerto abandonado, hoy renovadas como paseo marítimo con pasarelas peatonales.

Puerto Madero: a new office area facing the former wharfs of the abandoned port, renovated today as a promenade with footbridges.

Uno de los tres bulevares que conectan la ciudad con el nuevo Puerto Madero.

One of the three boulevards connecting the city with the new Puerto Madero.

Master plan for the green areas of Puerto Madero and
the restoration of the Costanera Sur, Buenos Aires,
Argentina
39 Latinscapes

Barrancas del parque
Micaela Bastidas, en-
marcadas por gramí-
neas autóctonas, y un
camino peatonal flan-
queado por álamos
plateados.
Gullies in Parque
Micaela Bastidas,
framed by autochtho-
nous gramineous
plants, and a footpath
flanked by white
poplars.

Detalle de la escalera
en la barranca.
Detail of the gully
stairs.

Vista de la plaza
Central, en el parque
Micaela Bastidas. Al
fondo, uno de los ga-
viones que delimitan
las tres partes del
parque.
View of Plaza Central
in Parque Micaela
Bastidas. In the back-
ground, one of the
gabions that delimit
the three parts of the
park.

Plan Maestro para las áreas verdes de Puerto Madero
y la restauración de la Costanera Sur, Buenos Aires,
Argentina

40 Latinscapes

dad. Estos bulevares exclusivamente peatonales disponen de bancos, luminarias y otros elementos urbanos, y en cada uno de ellos ha sido plantada una especie diferente de árbol con épocas de floración consecutivas. Detrás de los canales, y casi sobre la Costanera Sur, dos parques proveen nuevos espacios verdes de uso público: el parque Micaela Bastidas (7,5 hectáreas) fue el primero en acabarse (2002) y el parque Mujeres Argentinas (10 hectáreas) finalizado en 2007.

El parque Micaela Bastidas ofrece tres zonas bien diferenciadas, que reducen el impacto de la escala de un gran parque a una escala de plazas de barrio. Las plazas del Sol, Central y de los Niños se delimitan a través de unos gaviones de 5 m de alto, y presentan un área de relax con unos pavimentos exteriores de madera de 2 x 2 m, una rosaleda atravesada por senderos peatonales y unas zonas de juegos respectivamente.

La topografía ondulada del parque se salva mediante rampas y escaleras y se cubre por partes con plantaciones de árboles y arbustos, en su mayor parte autóctonos.

Caminando por los senderos que recorren las zonas más altas, puede verse la Costanera Sur, situada detrás.

El parque Mujeres Argentinas, mucho más urbano, dispone de un espacio central que hace las funciones de un gran escenario al aire libre y lugar de reunión.

El trabajo realizado en las piezas históricas, tanto en la Costanera Sur como en otros espacios del proyecto original, ocupa una superficie total de 30 hectáreas y se limitó a la restauración de pavimentos y muros y a la colocación de luminarias. Se restauraron

in each of them is a different variety of tree, with consecutive periods of flowering. Behind the canals, and almost on the Costanera Sur, two parks provide new green spaces for public use: Parque Micaela Bastidas (7.5 hectares) was the first to be completed (2002) and Parque Mujeres Argentinas (10 hectares) finished in 2007.

Parque Micaela Bastidas offers three well-differentiated areas that reduce the impact of the scale of a big park to that of local squares. Plaza del Sol, Plaza Central and Plaza de los Niños are delimited by gabions 5 m high and provide an area for relaxing in with 2 x 2-m outdoor wooden decks, a rose garden crossed by footpaths and various play areas, respectively. The undulating topography of the park is compensated for by ramps and flights of steps and is covered by sections with plantings of trees and shrubs, most of them autochthonous. Walking along the pathways that cross the highest areas, one can see the Costanera Sur, situated behind. Much more urban, Parque Mujeres Argentinas has a central space that functions as a huge open-air venue and meeting place. The work done on the historical elements, both in the Costanera Sur and in other spaces in the original project, occupies a total surface area of 30 hectares and is limited to the restoration of paving and walls and to the placing of lighting. The tree-lined walks parallel to the Costanera Sur were also restored and conditioned as part of a new jogging circuit and for bicycles. Puerto Madero is currently one of the points of major real-estate development in Buenos Aires and one of the locations with the greatest influx of tourists; its pace of life,

también las alamedas paralelas a la Costanera Sur y se acondicionaron como parte de un nuevo circuito de *footing* y para bicicletas.

Puerto Madero constituye actualmente uno de los puntos de mayor desarrollo inmobiliario de Buenos Aires y uno de los lugares con mayor afluencia turística; sus ritmos de vida, tanto diurnos como nocturnos, son particularmente dinámicos. No sólo se ha devuelto la vida al frente fluvial histórico, sino que se ha creado un espacio de gran

| La Costanera Sur en la década de 1930. The Costanera Sur in the 1930s. | La Costanera Sur restaurada: vista desde el espigón de acceso a la Reserva Ecológica. | The Costanera Sur restored: view from the access breakwater to the Eco-Reserve. |

Plan Maestro para las áreas verdes de Puerto Madero
y la restauración de la Costanera Sur, Buenos Aires,
Argentina

42 Latinscapes

diversidad social por el uso y la apropiación de los nuevos espacios públicos y zonas verdes. Mientras que son los residentes de Puerto Madero quienes hacen uso de los nuevos parques, las áreas de la Costanera Sur, los frentes del río y la reserva ecológica atraen a grupos provenientes de otras áreas cercanas, principalmente del sur de la ciudad, donde escasean los espacios verdes de calidad y donde no existe una buena conexión con el río.

En su conjunto, la intervención urbanística y paisajística de Puerto Madero reafirma el carácter metropolitano de Buenos Aires, pero al mismo tiempo genera espacios que refuerzan el valor de la escala humana.

both night and day, is particularly dynamic. Not only has life returned to the historic riverfront but a space of great social diversity has been created for the use and adaptation of the new public spaces and green zones. While it is the residents of Puerto Madero who make use of the new parks, the areas of the Costanera Sur, the riverfront and the eco-reserve attract groups from other nearby areas, mainly from the south of the city, where green spaces of quality are scarce and where a good connection with the river does not exist.

Taken as a whole, the urban and landscape intervention of Puerto Madero reaffirms the metropolitan character of Buenos Aires while at the same time generating spaces that reinforce the value of the human scale.

Croquis original de la plaza del Sol y de la plaza Central.
Original sketches of Plaza del Sol and Plaza Central.

Plan Maestro para la rehabilitación integral del Bosque de Chapultepec, Ciudad de México, México
Grupo de Diseño Urbano:
Mario Schjetnan, José Luis Pérez

2003-2006
(primera fase: 275 hectáreas)

Master plan for the integral rehabilitation of Bosque de Chapultepec, Mexico City, Mexico
Grupo de Diseño Urbano:
Mario Schjetnan, José Luis Pérez

2003-2006
(first phase: 275 hectares)

Ciudad de México tiene un tamaño que escapa a la percepción. Es una ciudad caótica y difícil de entender, pero ofrece ciertos oasis donde aún existen el verde y los pedregales; respira cultura e historia, y en ella conviven pasado y presente. Lo mismo puede decirse de su parque más importante, el Bosque de Chapultepec, cuya rehabilitación implica también la revitalización de la ciudad.

En la zona del Bosque de Chapultepec los aztecas habían trazado caminos, plantado árboles y canalizado el agua que abastecía a su capital, Tenochtitlán. Nazahualcóyotl, rey de Texcoco, había diseñado un parque recreativo para Moctezuma, que más tarde se cedió mediante cédula real a los habitantes de Ciudad de México en 1530. Tras la

Mexico City has a size that is beyond perception. It is a chaotic city that is difficult to understand, but it offers certain oases where greenery and the lava fields still exist; it exudes culture and history, and past and present exist side by side in it. The same may be said of its most important park, Bosque de Chapultepec, whose rehabilitation also implies the revitalisation of the city.

In the Bosque de Chapultepec area the Aztecs had laid out roads, planted trees and channelled the water that supplied their capital, Tenochtitlán. King of Texcoco, Nazahualcóyotl had designed a recreational park for Moctezuma which later was transferred to Mexico City inhabitants by Royal Bond in 1530. After the Spanish colonisa-

colonización española de la ciudad se co-
menzaron a realizar obras en la zona del
bosque, como el castillo de Chapultepec,
que en 1939 se transformó en el Museo
Nacional de Historia.
En la actualidad, este parque público de
686 hectáreas de superficie es uno de los
espacios con mayor oferta cultural y recrea-
tiva de la ciudad, y alberga los museos más
representativos del país, teatros, escuela de
danza, zoo y una zona de grandes lagos. Sin
embargo, el paso del tiempo y la falta de
planificación y de intervenciones integrales,

tion of the city, building works began in the
area of the woods, such as Chapultepec
Castle, which was transformed in 1939 into
the National History Museum.
Today, this 686-hectare public park is one of
the spaces with the most cultural and recreational potential in the city, and houses the
country's most representative museums,
theatres, a dance school, zoo and an area
with big lakes. For all that, the passing of
time and the lack of planning and of integral interventions, along with the non-regu-
lated growth of the areas with street ven-

**Planta general de las
acciones del plan
integral.**

**General plan of the
interventions of the
integral plan.**

junto al crecimiento no reglamentado de
las zonas de vendedores ambulantes, deriva-
ron en un espacio caótico difícil de apreciar
y en la contaminación de las masas de agua,
superpoblación de especies vegetales y com-
pactación de suelos.
Esta contradictoria suma de elementos atra-
yentes y positivos y otros oscuros y negativos
constituía la imagen emblemática del parque antes de su intervención; incluso hoy
en día quizás algunos de los sectores que no
han sufrido intervenciones puedan ser la
imagen con la cual representar Ciudad de
México. Por consiguiente, si se entiende el
Bosque de Chapultepec como un microcos-
mos de la ciudad, la identificación de los
pequeños oasis que alberga forma parte de
la vivencia del lugar, y constituye uno de los
puntos de partida del Plan Maestro de rehabilitación integral.
La propuesta del plan partió de un grupo
de ciudadanos y empresarios que conforma-
ron el Consejo Rector Ciudadano de
Bosque y el Fideicomiso Pro-Bosque. Este

dors, led to a chaotic space that was difficult
to appreciate and to the pollution of the
bodies of water, overpopulation of vegetal
species and soil compactation.
This contradictory sum of attractive and
positive elements and other dark and negative ones constituted the emblematic image
of the park prior to the intervention upon
it; even today, perhaps, some of the sectors
that have not been intervened upon could
be the image by which to represent Mexico
City. As a result, if the Bosque de
Chapultepec is understood as a microcosm
of the city, the identifying of the small oases
that it houses forms part of the experience
of the place and becomes one of the starting points for the Master Plan for Integral
Rehabilitation.
The plan was originated with a group of citizens and businessmen who made up the
Consejo Rector Ciudadano de Bosque y el
Fideicomiso Pro-Bosque (Civic Board of
Governors for the Woodland and the Pro-
Woodland Trust). This group collected the

**Estado previo: lugar de
los puestos ambulantes,
acumulación de basura
en el lago.**

Previous state: location
of the street-sellers'
stalls, an accumulation of
rubbish in the lake.

grupo recaudó los fondos necesarios y, más
tarde, contrató al Grupo de Diseño Urbano.
En un principio, el Plan Maestro se basó en
un análisis realizado entre 2001 y 2002 por
el Programa de Estudios sobre la Ciudad de
la Universidad Nacional Autónoma de
México (UNAM) por encargo del gobierno
de la nación. Los datos obtenidos de este
análisis se completaron con el estudio del
estado fitosanitario del arbolado del Bosque
realizado por la Universidad Autónoma
Chapingo y la Universidad Autónoma
Metropolitana. A partir de este estudio se
generaron diagnósticos e interrelaciones
que sirvieron para determinar líneas específicas de acción.

Para la mejor caracterización de planes y
acciones puntuales, se identificaron 15 zonas
ambientales; en cada una de ellas se plantearon tres líneas de acción básicas —infraestructura, remoción o poda de árboles y
reorganización de los vendedores ambulantes—, cada una de las cuales tuvo una
importancia crucial, pues el éxito de una
dependía de la concreción de las otras dos.
Este trabajo integral fue una consecuencia
directa de haber establecido una visión de
conjunto como prioridad del plan.
Dentro de la línea de infraestructura, se
sanearon los lagos —que incluía el dragado
y la limpieza de sus fondos y la construcción
de una nueva estructura hidráulica que per-
mitía la implementación de un nuevo méto-
do de reciclaje y aireación del agua—; se
implantó un nuevo sistema de riego con
una planta de abastecimiento de agua a los
lagos, ubicada a 1,7 km, y desde ahí a tres
puntos estratégicos de distribución dentro
del parque; se instaló un nuevo sistema de

necessary funds and later contracted the
Grupo de Diseño Urbano.
To begin with, the Master Plan was based
on an analysis undertaken in 2001-2002 by
the City's Studies Programme of the
Universidad Nacional Autónoma de México
(UNAM) at the request of the Mexican
Government. The data obtained in this
analysis were complemented by the study of
the phytosanitary state of the Bosque's tree
cover made by the Universidad Autónoma
Chapingo and the Universidad Autónoma
Metropolitana. Based on this study, diag-
noses and interrelations were generated in
order to determine the particular courses of
action.
For the optimum definition of detailed
plans and interventions, fifteen environmental zones were identified. In each of
these, three basic courses of action were
posited—infrastructure, tree removal or
pruning and reorganisation of the street
vendors—which were of capital importance
since the success of one depended upon
the success of the other two. This integral

Imagen de un canal del
lago tras su limpieza me-
diante geotubos y tras
añadir los nuevos siste-
mas de circulación del
agua y los respiraderos.

Image of a canal from the
lake after its cleaning by
means of geotubes and
after adding the new
water-circulation systems
and vents.

alumbrado público; se mejoraron los accesos y caminos; se limpiaron los monumentos y se restauraron o rehabilitaron los edificios abandonados; se renovó el orquideario; se instaló un nuevo sistema de señalización; se construyó una lámina de agua y se creó un nuevo Jardín Botánico con las especies más importantes de las áreas centrales del país.

Cada tarea específica contó con el asesoramiento de especialistas: botánicos y biólogos para el Jardín Botánico, arqueólogos para la restauración de los Baños de Moctezuma, zoólogos para el control y traslado de plagas de animales, e ingenieros hidráulicos para los nuevos sistemas del parque.

Para la correcta ejecución de la remoción de árboles se organizaron reuniones con participación comunitaria con el objetivo de aclarar la necesidad de eliminar algunos ejemplares, lo que fue objeto de fuertes controversias. La posibilidad de eliminar árboles que estaban enfermos o muriéndose fue clave para abrir ciertas zonas del bos-

work was a direct result of establishing an overall vision as a priority of the plan.

As far as infrastructure goes, the lakes were reconditioned by dredging and cleaning their bottoms and the construction of a new hydraulic system which permitted the implementation of a new water recycling and aerating method; a new irrigation system was implemented with a water supplying plant to the lakes, sited 1.7 km away, and from there to three strategic distribution points within the park; a new system of public lighting was installed; the approaches and pathways were improved; the monuments were cleaned and the abandoned buildings restored or rehabilitated; the orchidarium was renovated; a new signposting system was installed; a reflective pool was constructed and a new Botanical Garden was created with the more important varieties from the central areas of the country.

Each specific task relied upon the advice of specialists: botanists and biologists for the Botanical Garden, archaeologists for the restoration of Moctezuma's Baths, zoologists

**Senderos restaurados
y nueva plantación.**
Restored paths and new
plantings.

**Jardín de los Novios: res-
tauración de pavimentos
y nueva plantación de ar-
bustos.**

Jardín de los Novios:
restoration of the paving
and new shrub plantings.

que que se habían convertido en vertederos o en zonas peligrosas. Para conseguir un trabajo eficaz se llevó a cabo un análisis árbol por árbol, marcándolos con un código que fijaba la acción que debía ejecutarse sobre cada uno de ellos. Tras los trabajos de limpieza y clareado del bosque, volvió a entrar la luz en esas zonas y el césped creció de forma espontánea.

En la Calzada del Rey, un camino de 700 m de longitud cuya construcción data del siglo XV, se hizo un trabajo integral de restauración de bordes y acequias. En los ahuehuetes (*Taxodium mucronatum*), árboles autóctonos con los que se había plantado esta calzada originalmente, se efectuaron labores de restauración fitosanitaria, recuperándose las acequias originales y replantándose con hileras de glaucas. También

for the control and ousting of animal pests, and hydraulic engineers for the park's new systems.

For the correct execution of the removal of trees, meetings were organised with community participation with the aim of explaining the need to eliminate some examples, which was the object of strong controversy. The possibility of eliminating trees that were sickly or dying was crucial for opening up certain woodland zones that had become rubbish dumps or dangerous areas. In order to guarantee efficiency, an analysis was made tree by tree, each of them being marked with a code that defined the action that needed to be carried out on it. After the cleaning up and clearing works of the woodland, light began to once again enter those areas and grass grew spontaneously.

Nuevo sistema de
señalización.
New signposting
system.

Acequias: restauración,
replantación con canas
glaucas e instalación
de pozos de piedra con
motivos aztecas.

Irrigation ditches:
restoration, replanting
with green cane and
installation of stone
wells with Aztec motifs.

se añadieron cuatro pozos colectores de agua de piedra, que imitan los pozos aztecas del período de Nazahualcóyotl. Acantos, agapantos, clivias, hemerocallis y canas glaucas fueron las únicas especies incorporadas al parque para conformar masas de carácter uniforme.

Para la reorganización de los vendedores ambulantes se lidió con gran dificultad con algunas organizaciones sociales. El nivel de apropiación del espacio al que habían llegado los vendedores era tal que las operaciones para su reorganización fue lo más complicado. Sin embargo, de los 1.500 puestos reales que existían (registrados había más de 1.800) se pasó a 600 puestos tras una negociación relativamente exitosa. Los puestos espontáneos fueron sustituidos

Along Calzada del Rey, a 700-metre-long avenue constructed in the 15th century, an integral intervention was made to restore its edges and ditches. The Mexican cypresses or *Taxodium mucronatum*, autochthonous trees with which this walkway had been originally planted, were restored under phytosanitary measures, and the original irrigation channels were rehabilitated and replanted with rows of canna lily. In addition, four stone water-collecting wells, which imitate Aztec wells of the Nazahualcóyotl period, were incorporated.

Acanthus, agapanthus, clivia, day lily and canna lily were the only varieties incorporated in the park so as to create masses of a uniform aspect. Battle was waged with a number of social organisations for the reor-

Calzada del Rey: restauración de pavimentos y bordes de la plantación de ahuehetes.
Calzada del Rey: restoration of the paving and borders of the plantation of Mexican cypresses.

por carritos que se agrupaban en dos sectores o kioscos con una zona central con
mesas y sillas.

Actualmente, el parque está ordenado, lim-
pio y es luminoso, tiene un uso más organi-
zado y ha aumentado el número de visitas,
sobre todo por parte de la clase media, a los
servicios culturales. Por otro lado, la sobria
estética del plan ofrece una nueva imagen
del parque respetando su concepto original.

ganisation of the street vendors. The degree
of appropriation of the space the sellers
had arrived at was such that operations for
its reorganisation were highly complicated.
Nevertheless, after a relatively successful series of negotiations the 1,500 real stalls that
existed (there were more than 1,800 regis-
tered) were reduced to six hundred. The
spontaneous stalls were replaced by small
carts that were grouped in two sectors or
kiosks with a central area with tables and
chairs.

Today, the park is tidy, clean and light-filled;
its use is more organised and the number of
visits to the cultural amenities has increased, especially represented by the mid-
dle class. Moreover, the sober aesthetic of
the plan provides a new image of the park
while respecting its original concept.

**Plaza de acceso al nuevo
Jardín Botánico.**
Access plaza to the new
Botanical Garden.

**Acceso por el Jardín de
los Leones: restauración
de pavimentos y limpieza
de monumentos.**

Access via the Jardín de
los Leones: restoration of
the paving and cleaning
of the monuments.

Complejo Feliz Lusitânia, Belém, Brasil
Rosa Kliass

1998-2002

Feliz Lusitânia complex, Belém, Brazil
Rosa Kliass

1998-2002

El *genius loci* de la ciudad amazónica de Belém combina las costumbres portuarias con el colorido de las frutas y flores tropicales, las reminiscencias de la colonización portuguesa, el paseo vespertino junto al río, la historia y la geografía. Todos estos elementos resurgen con un espíritu renovador y reconfiguran esta ciudad colonial al norte de Brasil.

La ciudad de Belém se sitúa en una bahía formada en la confluencia de tres ríos antes de llegar a la desembocadura del Amazonas. Por su privilegiada situación geográfica, la zona fue elegida como sitio fundacional en 1616 por los navegantes portugueses, para consolidarse más tarde como una de las ciudades-puerto más importantes de Brasil.

The *genius loci* of the Amazon city of Belém combines the customs of a port and the colour of fruits and flowers, reminiscences of colonisation by the Portuguese, the evening stroll by the river, history and geography. All these elements re-emerge with an innovative spirit and reconfigure this colonial city in the north of the Brazil.

The city of Belém is situated on a bay formed at the confluence of three rivers prior to their arrival at the mouth of the Amazon. Due to its privileged geographical situation the area was chosen as a foundational site in 1616 by Portuguese seamen; later, it was consolidated as one of Brazil's most important port cities.
The exporting of fruit, minerals, wood, rub-

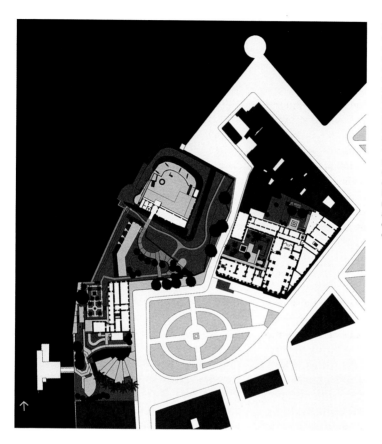

**Planta general. Hacia el oeste la Casa das 11 Janelas con sus terrazas; en un lateral, la plaza seca y el nuevo muelle; al norte, siguiendo el paseo del río, el fuerte rehabilitado como museo; al este, los claustros rehabilitados.
General plan.** Towards the west, the Casa das 11 Janelas with its terraces; on one side, the dry plaza and the new quay; to the north, following the course of the river, the fort rehabilitated as a museum; to the east, the rehabilitated cloisters.

La exportación de fruta, minerales, madera, caucho, tabaco, azúcar y otros productos de la región fue la base de su crecimiento económico durante casi tres siglos, hasta que la actividad portuaria comenzó a declinar debido a la gran competitividad comercial y la globalización. Su imagen de metrópolis prominente fue también perdiendo fuerza y algunos de sus espacios urbanos más representativos, como el borde ribereño, fueron cayendo poco a poco en el abandono.

ber, tobacco, sugar and other regional products was the basis of its economic growth for almost three centuries, until port activity began to decline due to enormous commercial competition and globalisation. Its image as a prominent metropolis gradually diminished, too, and some of its more representative urban spaces, like the riverside, fell little by little into disuse.
With the aim of reclaiming these places and upgrading the city in an integral manner,

Con el fin de recuperar estos lugares y revalorizar la ciudad de manera integral, el secretario de Cultura del Estado de Pará, Paulo Chaves, arrancó un exhaustivo plan de rehabilitación a mediados de la década de 1990. Primeramente se contrataron equipos locales interdisciplinares para realizar estudios históricos y socioeconómicos de la región, sobre los que se basaron los diferentes proyectos de recuperación urbana. Estos proyectos, entre los que Feliz Lusitânia es uno de los más significativos, fueron delineados y llevados a cabo por arquitectos, restauradores, arqueólogos y arquitectos paisajistas. Feliz Lusitânia ocupa casi 5 hectáreas junto a las instalaciones del antiguo puerto al borde del río Pará y junto a la emblemática lonja de pescado Ver-o-Peso, donde actualmente se comercializan los productos locales de las islas que se encuentran frente a la costa de Belém. Los puestos de frutas y ver-

the Secretary of Culture of the State of Pará, Paulo Chaves, launched an exhaustive rehabilitation plan in the mid-1990s. To start with, local multidisciplinary teams were hired to carry out historical and socio-economic studies of the region, upon which the different projects of urban rehabilitation were based. These projects, among which Feliz Lusitânia is one of the most important, were outlined and carried out by architects, restorers, archaeologists and landscape architects.
Feliz Lusitânia occupies almost 5 hectares next to the installations of the former port on the banks of the Pará river and beside the emblematic Ver-o-Peso fish market, where today the local products of the islands opposite the Belém coast are sold. The fruit and vegetable stands, the colonial Portuguese architecture of the neighbouring buildings and the Estação das Docas

Imagen aérea del complejo Feliz Lusitânia, sobre el río Pará y frente a la plaza de la ciudad.
Aerial image of the Feliz Lusitânia complex on the Pará river and opposite the city square.

duras, la arquitectura colonial portuguesa de los edificios colindantes y la Estação das Docas (área comercial que nació de la rehabilitación de los antiguos edificios portuarios ubicados a continuación del mercado) son las imágenes más representativas de la historia de la ciudad y de los cambios que sufrió en la década de 1990. Estos cambios sirvieron de punto de partida para llevar a cabo la renovación del área colindante, el actual complejo cultural Feliz Lusitânia.

El plan de rehabilitación comenzó en 1998 y se ejecutó en cuatro fases: la rehabilitación de la iglesia de Santo Alexandre y el palacio episcopal como Museu de Arte Sacra, y de sus dos patios monásticos como áreas públicas de descanso y contemplación; la restauración de una zona residencial; la rehabilitación del Forte do Presépio como Museu de Arte Militar; y la rehabilitación del hospital militar como centro cultural y recreativo, llamado Casa das 11 Janelas. En las dos últimas fases, se proyectaron las zonas abiertas como lugares de exposición y de ocio, conformándose como piezas de co-

(a commercial area that stemmed from the rehabilitation of the old port buildings next to the market) are the most representative images of the history of the city and of the changes it underwent in the 1990s. These changes served as a starting point for implementing the renovation of the neighbouring area, today's Feliz Lusitânia cultural complex.

The rehabilitation plan began in 1998 and was carried out in four phases: rehabilitation of the church of Santo Alexandre and the bishop's palace as a Museu de Arte Sacra, and of its two monastic courtyards as public areas for relaxing and meditating in; restoration of a residential area; rehabilitation of the Forte do Presépio as a Museu de Arte Militar; and rehabilitation of the military hospital as a cultural and recreational centre called Casa das 11 Janelas. In the last two phases, open areas were designed as exhibition and leisure spots, being shaped as connecting elements between both buildings and connected via the Passeio de Beira Rio, a pedestrian precinct developed as an

Passeio de Beira Rio.
Passeio de Beira Rio.

Pórtico conservado que formaba parte del muro demolido y antiguo foso del fuerte ajardinado.

Preserved portico that formed part of the demolished wall and the fort's former ditch, now landscaped.

nexión entre ambos edificios y a su vez co-
nectadas entre sí por medio del Passeio de
Beira Río, un recorrido peatonal desarrollado como frente urbano sobre el Río Pará.
La zona del fuerte estaba aislada de lo que
eran el hospital y la plaza central de Belém
por un muro de 60 cm de ancho y casi 4 m
de alto y un foso, que se cruzaba por una
pasarela. Tras largas discusiones, el muro
fue demolido manteniendo su pórtico central y dejando una base de 40 cm de altura
a modo de banco, logrando así una relación
visual directa con los espacios municipales y
el resto de zonas, pero preservando ciertos
elementos de valor histórico.

Con esta idea de apertura, de querer "abrir
ventanas", se gestó el proyecto: ventanas
que no sólo se abrieran desde el complejo
hacia el paisaje acuático que lo enmarca,
sino también hacia la ciudad y entre sus
mismos espacios. Volando sobre el foso
—renovado como zona ajardinada interrumpida por un sendero peatonal de piedra y
con un nuevo puente metálico de líneas
modernas—, un mirador semicircular per-

urban frontage on the Pará river.
The fort area was isolated from what were
the hospital and the central square of
Belém by a wall 60 cm wide and almost 4 m
high and a ditch, which was crossed by a
footbridge. After long discussions, the wall
was demolished, while retaining its central
portico and leaving a 40-cm-high base as a
bench, thus arriving at a direct visual relationship with the municipal spaces and the
rest of the areas, but preserving certain features of historical value.

The project was prepared with this idea of
aperture in mind, of wanting "to open windows": windows that not only opened from
the complex towards the aquatic landscape
that frames it, but also towards the city and
among its actual spaces. Sticking out over
the ditch—renovated as a landscaped area
interrupted by a stone pedestrian pathway
and with a new metal bridge with modern
lines—a semi-circular mirador provides people with distant views of the market and the
port installations.

Passeio de Beira Rio starts on the western

Terrazas frente a la Casa das 11 Janelas; antiguo hospital militar rehabilitado como espacio cultural y gastronómico.

Terraces opposite the Casa das 11 Janelas; former military hospital rehabilitated as a cultural and gastronomic space.

Muro de cierre del fuerte antes de su demolición parcial. El muro obstruía la conexión visual y física entre los espacios.

The fort's outer wall before its partial demolition. The wall obstructed the visual and physical connection between the spaces.

mite acceder a las vistas lejanas del mercado y las instalaciones del puerto.

El Passeio de Beira Rio arranca en el borde occidental del fuerte conectando con las terrazas ubicadas delante de la Casa das 11 Janelas. A lo largo del paseo se exponen algunas de las piezas encontradas durante las excavaciones arqueológicas efectuadas alrededor del fuerte.

Las terrazas salvan los desniveles del terreno en una sucesión de planos pavimentados o de césped con privilegiadas vistas al río. Los bancos estratégicamente colocados en estos planos son ocupados cada tarde por visitantes que desean contemplar el espectáculo de la lluvia, que cae sistemáticamente durante un cuarto de hora, pasando por encima del agua.

El último de los espacios del complejo es una zona anteriormente ocupada por dos almacenes industriales que han sido trasladados a otros lugares. Hoy este espacio totalmente urbano, donde se han colocado un anfiteatro y una fuente que se ilumina por la noche, se abre hacia la plaza municipal.

Desde la orilla del río se extienden un muelle y unas terrazas desde donde observar la superficie del agua, las islas lejanas y la ciudad que se desarrolla hacia el norte.

Feliz Lusitânia no sólo representa la recuperación de un lugar histórico y cultural situado en una posición central en la ciudad, sino una respuesta contundente y atractiva a las necesidades de conexión social de los locales con el río y su borde urbano y de la incorporación visual de éste a los nuevos espacios urbanos de ocio.

edge of the fort and connects up with the terraces in front of the Casa das 11 Janelas. Some of the historical pieces that were found during the archaeological excavations carried out around the fort are exhibited along this walkway.

The terraces compensate for the unevenness of the terrain in a succession of paved or grassed planes with exceptional views of the river. Every afternoon the strategically placed benches on these planes are occupied by visitors who wish to contemplate the spectacle of the rain, which falls systematically for a quarter of an hour, passing over the water.

The final space in the complex is an area formerly occupied by two industrial warehouses that have been moved to other spots. Today, this purely urban space, where an amphitheatre and a fountain that lights up at night have been placed, opens towards the city square.

Extending from the riverbank are a quay and terraces from where to observe the surface of the water, the distant islands and the city unfolding towards the north.

Feliz Lusitânia does not only represent the rehabilitation of an historic and cultural place centrally positioned in the city, but a forceful and attractive response to the needs of social connection of local people with the river and its urban edge and of the visual inclusion of the latter in the new urban leisure spaces.

Parque da Juventude, São Paulo, Brasil
Rosa Kliass

2003-2006

Parque da Juventude, São Paulo, Brazil
Rosa Kliass

2003-2006

La megalópolis de São Paulo reclama más espacios metropolitanos donde concentrar diversas actividades físicas y recreativas, lugares para la cultura y el ocio, la topografía y la vegetación. A ello responde de manera exacta y creativa el Parque da Juventude, que ocupa los solares de una importante penitenciaría abandonada.

Con sus diez millones de habitantes y un área metropolitana de más de dieciocho, São Paulo es la ciudad más grande de Sudamérica con una población de gran diversidad étnica. Ante tal enorme población, la oferta de espacios verdes repartidos uniformemente debería ser proporcionalmente alta; sin embargo, su carencia es uno de los problemas más característicos de la

The megalopolis of São Paulo cries out for more metropolitan spaces in which to concentrate various physical and recreational activities, places for culture and leisure, topography and vegetation. To this there responds, precisely and creatively, the Parque da Juventude, which occupies the grounds of a vast, abandoned prison.

With its ten million inhabitants and a metropolitan area of upwards of eighteen million, São Paulo is the largest city in South America, with a population of great ethnic diversity. Faced with such an enormous population, the range of uniformly distributed green spaces ought to be proportionally high; however, their lack is one of the city's most typical problems. Because of this, during the last ten

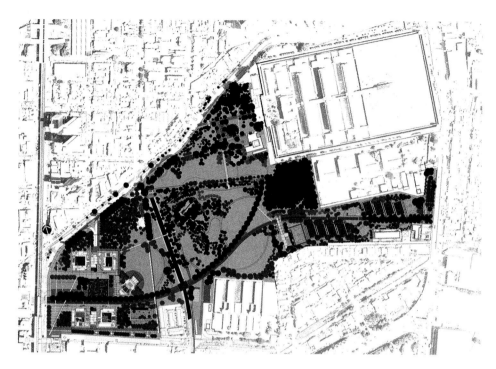

ciudad. Por ello, el gobierno del Estado de São Paulo ha implementado en la última década nuevas medidas y proyectos que respondan a esta necesidad.

Una de las iniciativas nació en 1999 con la convocatoria de un concurso nacional para la rehabilitación del complejo penitenciario de Carandiru, una de las prisiones más importantes de toda Latinoamérica que había sido parcialmente desmantelada tras el violento motín de 1993. El solar de 43 hectáreas albergaba la prisión estatal, una prisión de mujeres y una comisaría. Aunque en un principio se había apuntado a la renovación de todos los edificios, finalmente se decidió mantener las dos cárceles, con lo que se

years the government of the State of São Paulo has implemented new measures and projects that respond to this need.

One of the initiatives was born in 1999 with the convoking of a national competition for the rehabilitation of the Carandiru prison complex, one of the most important prisons in all Latin America, which had been partially dismantled after the violent riot in 1993. The 43-hectare site housed the state prison, a prison for women and a police station. Although renovation of all the buildings had been indicated at first, it was finally decided to keep the two prisons. This decision reduced the surface area for rehabilitation to only 25 hectares and shifted

Planta general. La alameda principal cruza el lugar en dirección este-oeste; el parque deportivo se sitúa en el acceso este; el parque central y el institucional están separados por el río que corre de norte a sur. Las masas verdes son remanentes de la *mata* atlántica.

General plan. The main tree-lined avenue crosses the location in an east-west direction; the sports park is situated at the eastern entrance; the central and the institu-tional parks are separated the river running north-south. The green masses are remnants of Atlantic Forest.

redujo la superficie objeto de rehabilitación a sólo 25 hectáreas, haciendo que el foco de atención del proyecto pasara de los edificios al paisaje y promoviendo la construcción de un gran parque público cuya construcción comenzó en 2003, tras la redefinición del área de actuación.

Este área presentaba preexistencias tanto construidas como de paisaje, que no sólo se preservaron sino que definieron la fisonomía del proyecto: edificios a medio construir, estructuras abandonadas y elementos que formaban parte de la prisión tales como sus muros divisorios y, además, una formación natural de tipunas (*Tijuana tipu*) que había crecido entre los edificios. Este conjunto natural, un remanente de la *mata* atlántica brasileña, se definió como Área de Preservación Permanente.

El proyecto para el parque definió tres sectores bien diferenciados que se desarrollaron a lo largo de una avenida que cruza en dirección este-oeste el lugar y que fue plantada a ambos lados con las especies autóctonas guaparavus (*Schizolobium parahyba*), paus-brasil (*Caesalpinia echinata*) y jequitibas-rosa (*Cariniana legalis*).

Los dos sectores del parque deportivo y el parque central fueron finalizados en 2004, mientras que el parque institucional no se acabó hasta 2006.

El parque deportivo ocupa una superficie de 3,5 hectáreas contiguas a uno de los

the project's focus of attention from the buildings to the landscape, thus promoting the existence of a large public park whose construction began in 2003 after the redefinition of the area of intervention.

This area had pre-existing built and landscape features that were not only preserved but which defined the physiognomy of the project: half-constructed buildings, derelict structures and elements that formed part of the prison such as its dividing walls and, in addition, a natural formation of tipu trees (*Tijuana tipu*) that had grown between the buildings. This natural entity, a remaining bit of Brazil's Atlantic Forest, was defined as a Permanent Preservation Area.

The project for the park defined three well-differentiated sectors that unfolded along an avenue which crossed the site in an east-west direction and which was planted on both sides with autochthonous false tree ferns (*Schizolobium parahyba*), Brazilwood trees (*Caesalpinia echinata*) and jequitibas rosa (*Cariniana legalis*).

The two sectors of the sports park and the central park were completed in 2004, while the institutional park wasn't finished until 2006.

The sports park occupies a surface area of 3.5 hectares adjoining one of the main entrances to the place. Tennis courts, football fields and little rest areas for watching the games were constructed on both sides of the

Sección por el parque central.
Section of the central park.

principales accesos al lugar. A ambos lados de la avenida o alameda principal se construyeron canchas de tenis, campos de fútbol y unas pequeñas áreas de descanso para observar los juegos. Completando la oferta deportiva, el centro de este primer sector está ocupado por una pista de *skateboard*. Entre el parque deportivo y el parque central se construyó un pórtico divisorio —que alberga aseos públicos, vestidores y algunos puestos de comida rápida— que se cierra durante la noche, quedando sólo en funcionamiento el sector deportivo.

El parque central, de 9 hectáreas, se caracteriza por una topografía más dinámica que se ha logrado mediante la construcción de unos grandes montículos cubiertos de vegetación y atravesados por caminos peatonales. La sensación de "vacíos" contrasta con

main avenue or tree-lined walk. Completing the sports offer, the centre of this first sector is occupied by a skateboard park. Between the sports park and the central park is a dividing portico—which houses public toilets, changing rooms and some fast-food stands—that closes at night, the sports sector alone remaining in operation. The central park, of 9 hectares, is characterised by a more dynamic topography that has been arrived at by means of the construction of hillocks covered in vegetation and crossed by footpaths. The feeling of "voids" contrasts with the "solids" of the tipu woods, creating a subtle spatial balance.

On the other hand, the remains of buildings and old derelict structures are integrated with the park's natural landscape, allow-

Alameda principal del parque deportivo que conecta las tres áreas del Parque da Juventude; a sus lados, las canchas de tenis y el remanente de la *mata* atlántica conservado.

Main tree-lined walk of the sports park which connects the three areas of the Parque da Juventude; to either side, the tennis courts and the remaining bits of Atlantic Forest.

los "llenos" de los bosques de tipuanas, creando un sutil equilibrio espacial. Por otro lado, los restos de edificios y viejas estructuras abandonadas se integran en la naturaleza del parque, dejando que el bosque crezca en ellos e incorporando otros nuevos elementos. Por ejemplo, masas de plantas rastreras y arbustos definen los bordes de una plataforma flotante de madera construida entre los restos de unos pilares de hormigón, consiguiendo así un espacio donde las copas de los árboles generan un ambiente de luces y sombras particularmente dinámico. Por la noche, estas composiciones de elementos constructivos y vegetación se iluminan produciendo un efecto escenográfico.

Otra preexistencia que se ha incorporado al parque es el típico corredor de vigilancia

ing the woods to grow inside them and incorporating other new elements. For instance, masses of creeping plants and shrubs define the edges of a floating wooden platform built among the remains of some concrete pillars, thus arriving at a space in which the tree tops generate a particularly dynamic atmosphere of light and shade. At night these compositions of built

Nuevas estructuras que se integran con los restos construidos, las piezas abandonadas y la vegetación.

New structures integrated with the remains of buildings, abandoned elements and vegetation.

pegado al muro de cierre de la prisión, que
se rehabilitó como parte de un recorrido
peatonal elevado que atraviesa zonas de
bosque de diferente densidad y al que se
accede mediante unas estructuras metálicas
nuevas pintadas de rojo.

El parque central y el institucional están
separados por un río que corre en dirección
norte-sur, que ya se encontraba en el lugar.
La conexión entre los sistemas de caminos y
senderos de cada uno de los dos parques se
lleva a cabo mediante unas pasarelas peatonales que cruzan el río y desde donde se
puede observar su curso y la vegetación de
ribera restaurada.

El parque institucional —con una plaza de
12.000 m² y un anfiteatro al aire libre—
tiene un marcado carácter urbano. Situado
sobre una importante vía de tráfico con una
cercana boca del metro, alberga el importante volumen construido de los edificios
administrativos y culturales, fruto de la
rehabilitación de dos antiguas comisarías.

and plant elements are illuminated, produc-
ing a stage-like effect.

Another pre-existing feature that has been
incorporated into the park is the typical observation corridor abutting onto the outer
wall of the prison, which was rehabilitated
as part of a raised pedestrian itinerary that
crosses areas of woodland of different density and to which one accedes via new metal
structures painted in red.

The central and the institutional park are
separated by a river which runs north-south,
which was already present in the location.
The connection between the roads and
paths systems of each of the two parks is
produced by means of pedestrian footbridges that cross the river and from where
its course and the vegetation of the restored
riverbanks can be observed.

The institutional park—with a 12,000-m² pi-
azza and an open-air amphitheatre—has a
markedly urban character. Situated above
an important highway with a nearly metro

Nuevas estructuras metá-
licas, como accesos y pa-
seos peatonales elevados
entre los muros de la an-
tigua penitenciaría.

New metal structures, as
elevated pedestrian ac-
cess routes and path-
ways between the walls
of the former penitentiary.

El mayor logro de este proyecto es social. No obstante, el haber transformado un lugar con una fuerte connotación de violencia en otro de ocio, reunión y cultura resulta secundario frente al haber creado una zona verde en la ciudad allí donde la oferta de este tipo de espacios era particularmente insuficiente. La intensa concentración de jóvenes que se produce actualmente en las nuevas zonas deportivas demuestra la importancia de ofrecer espacios para la práctica de actividades de grupo.

station entrance, it accommodates the imposing built volume of the administrative and cultural buildings, an outcome of the rehabilitation of two former police stations. The major achievement of this project is social. All the same, the fact of having transformed a place with a strong connotation of violence into one of leisure, gathering and culture turns out to be secondary to the fact of having created a green zone in a city where the offer of this kind of space was particularly lacking. The strong concentration of young people that is currently produced in the new sports areas demonstrates the importance of providing spaces for the practice of group activities.

Topografía ondulada artificial del parque central.

The artificial undulating topography of the central park.

Pasarela peatonal que cruza el río y divide físicamente el parque central del institucional.

Footbridge that crosses the river and physically divides the central and the institutional parks.

Parque de los Pies Descalzos, Medellín, Colombia

Felipe Uribe de Bedout,
Ana Elvira Vélez, Giovanna Spera

2000

Parque de los Pies Descalzos, Medellín, Colombia

Felipe Uribe de Bedout,
Ana Elvira Vélez, Giovanna Spera

2000

La acción espontánea de quitarse los zapatos para sentir el suelo, la tierra y el agua dio nombre a este nuevo parque de Medellín, una ciudad que se ofrece a sus habitantes como nunca antes lo había hecho.

Desde la década de 1970 y hasta principios de la de 1990, la ciudad de Medellín estuvo asociada con el tráfico de drogas y la violencia que lleva consigo. Sin embargo, el proceso de paz en las ciudades, que comenzó a delinearse con los gobiernos nacionales a partir de 1998, ha concretado cambios profundos en la imagen y la vida de esta ciudad en particular.
Siguiendo la línea de renovación del Ayuntamiento de Bogotá a partir del año 2000, los gobiernos de la ciudad de Medellín

The spontaneous act of taking off your shoes in order to feel the ground, the earth and the water lent its name to this new park in Medellín, a city that offers itself to its inhabitants as never before.

From the 1970s to the beginning of the 1990s the city of Medellín was associated with drug trafficking and the violence that goes with it. For all that, the peace process in the cities that national governments began delineating after 1998 has come up with profound changes in the image and life of this city in particular.
Following Bogota City Council's post-2000 policy of renewal, the governments of the city of Medellín centred political and financial forces on the execution of highly significant urban projects. Essential to this was

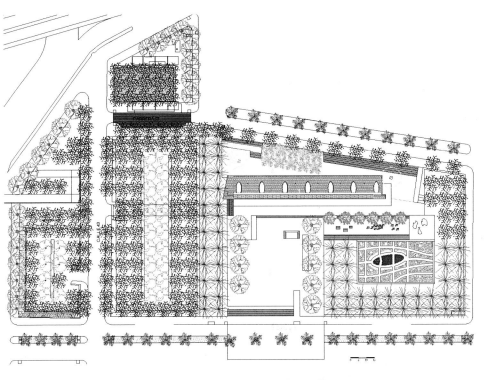

Plano del Parque de los
Pies Descalzos y los nue-
vos aparcamientos. La
plaza central está delimitada por el museo y el
bambusal enmarcado por
una plantación de chimi-
mangos (*Pithecellobium
dulce*).
Plan of Parque de los Pies
Descalzos and the new
parking areas. The central
square is delimited by the
museum and the bamboo
grove, framed by a plantation of chiminangos
(*Pithecellobium dulce*).

**Juegos de agua en
la plaza seca.**
Water features in
the dry square.

Espejo de agua lineal que evoca los típicos lavapiés aborígenes. Detrás, la zona de comidas desarrollada en la primera planta del Museo de Ciencia y Tecnología.

Linear reflecting pool which evokes typical indigenous footbaths. Behind, the eating area developed on the first floor of the Museum of Science and Technology.

El bambusal junto a la plaza seca y al espejo de agua ofrece un espacio de sombra y relax en el parque.

The bamboo grove next to the dry square and reflecting pool offers an area of shade and relaxation in the park.

El *jacuzzi* (así lo llaman los habitantes de la zona) hundido en la plaza seca ofrece otra experiencia con el agua a los visitantes.

The *jacuzzi* (as the local inhabitants call it) set into the dry square offers visitors another water experience.

Senderos en el bambusal. Paths in the bamboo grove.

centraron fuerzas políticas y financieras en la ejecución de proyectos urbanos altamente significativos. Para ello fue imprescindible la actuación de Empresas Públicas de Medellín (EPM), un grupo económico local que nació en 1950 con la fusión de las más importantes empresas de servicios públicos y que, con el tiempo, se fue configurando como el más sólido de la ciudad.

Coincidiendo con la nueva política gubernamental, EPM creó en 2000 una fundación mediante la cual poder llevar a cabo todos las iniciativas de alto componente social. La Fundación EPM, cuyo director es el alcalde de la ciudad, se consolidó como la figura legal mediante la cual se han concretado los proyectos de renovación de la ciudad más innovadores.

El Parque de los Pies Descalzos nació como respuesta al encargo de ampliación y renovación de los aparcamientos —de unas 3 hectáreas y adyacente a unas zonas semi-abandonadas— del edificio administrativo de EPM, un edificio inteligente con una gran envergadura visual levantado en el centro de la ciudad, que alberga a 4.000 trabajadores diariamente.

Se había encargado el proyecto al equipo del Laboratorio de Estudios Urbanos de la Universidad Pontificia Bolivariana, donde destacaba Felipe Uribe de Bedout, quien replanteó la propuesta como una gran plaza urbana con zonas verdes públicas, trasladando el aparcamiento a las zonas degradadas contiguas.

Los nuevos aparcamientos ocupan 1,2 hectáreas, que conformaban parte del lote original reservado para el proyecto, y se añadió además una pieza de casi 1 hectárea en

the intervention of Empresas Públicas de Medellín (EPM), a local business group that was born in 1950 with the fusion of the most important public services companies and which, with time, gradually took shape as the most solid in the city.

Coinciding with new government policy, in 2000 EPM created a foundation through which to carry out all the enterprises with a high social component. The Fundación EPM, whose director is the mayor of the city, consolidated itself as the legal entity through which the city's most innovative renewal projects have become reality.

Parque de los Pies Descalzos came about in response to the assignment to extend and renovate the parking areas—three hectares in size and adjacent to some semi-derelict areas—of the EPM administration building, an intelligent building of great visual impact erected in the centre of the city, which houses 4,000 workers a day.

The project had been entrusted to the team from the Urban Studies Laboratory of the Universidad Pontificia Bolivariana led by Felipe Uribe de Bedout, who reformulated the scheme as a great urban plaza with public green zones by shifting the parking to the rundown areas alongside.

Apart from the 1.2 hectares that shape the new parking area, which formed part of the original land reserved for the project, a piece of land of almost an hectare was added on one of the sides of the building. As part of the parking renewal project, ivy-covered embankments were built as a sort of visual closure from the street and planted with fiddle-leaf fig (*Ficus lirata*) and Brazilwood trees (*Caesalpinia peltophoroides*).

uno de los laterales del edificio. Como parte del proyecto de renovación de los aparcamientos se construyeron unos taludes recubiertos con hiedra a modo de cierre visual desde la calle y se plantaron hileras de pandurata (*Ficus lirata*) y palo Brasil (*Caesalpinia peltophoroides*).

Las restantes 1,87 hectáreas del solar se ocuparon con el nuevo parque y el Museo de Ciencia y Tecnología, que informa sobre los orígenes y los procesos de los servicios de agua, energía y telecomunicaciones con fines educativos.

El parque tiene dos áreas bien diferenciadas: una gran explanada urbana, alineada con el atrio de acceso del edificio EPM, y un zona boscosa con un bambusal rodeado de plantaciones de especies autóctonas en tres de sus lados. En el cuarto lado del bam-

The remaining 1.87 hectares of the site were taken up with the new park and the Museum of Science and Technology, a museum with educational aims which describes the origins and processes of the water, energy and telecommunications services.

The park has two well-differentiated areas: a great urban esplanade aligned with the entrance atrium of the EPM building, and a wooded zone with a bamboo grove surrounded by plantings of autochthonous varieties on three of its sides. On the fourth side of the bamboo grove, a sand area with games for children and a Zen garden for relaxing in complete the park.

The original slope of the land was uneven, due to which the park is at the same level as the street on one side, while on the opposite side it is more than a metre higher. The

Juegos para niños en la zona de arena construidos con bloques de madera de diferentes alturas.

In the sand area, children's games built with blocks of wood of different heights.

busal, una zona de arena con juegos para niños y un jardín zen de descanso completan el parque.

La pendiente original del terreno era desigual, por lo que el parque se encuentra a la misma cota que la calle en uno de sus lados, mientras que en el opuesto está elevado más de un metro. La plaza elevada sirve de recuerdo de los zócalos de las antiguas ciudades precolombinas, remarcando así la idea de una gran "zona de estar" para la ciudad y un espacio de congregación. Varias organizaciones locales, entre ellas EPM, utilizan este lugar para desarrollar distintas actividades sociales a lo largo del año.

El pavimento de la plaza es una piedra blanquecina local, llamada royalbeta, con la que también se revistieron las fachadas del museo, generando una continuidad visual entre las superficies y reforzando la idea de plataforma/escenario y fachada/telón de fondo. La conexión visual con el resto de la ciudad se efectúa en la primera planta del museo, que en algunas de sus zonas alberga bares y tiendas con fachadas de vidrio y en otras se encuentra abierto a la ciudad.

Tres elementos de agua, donde juegan descalzos los niños, interrumpen la superficie de la plaza: un espejo lineal de agua de 60 cm de fondo, que recrea los antiguos lavapiés de las culturas aborígenes; un espacio hundido en cuyo fondo fluye una capa de agua continua, con escalones para sentarse en tres de sus lados; y una serie de chorros de agua colocados a ras de suelo que varían en altura e intermitencia generando un espacio dinámico.

En dos laterales de la plaza se han plantado bucaros (*Erytrina fusca*), una especie autóc-

raised square serves as a reminder of the plinths of ancient pre-Columbian cities, thus emphasising the idea of a large "living-room" for the city and a space of congregation. Various local organisations, EPM among them, use this place for different social activities during the year.

The paving of the square is a whitish local stone called *royalbeta*, with which the facades of the museum are also faced, thus generating visual continuity between the surfaces and reinforcing the idea of a platform/stage and facade/backdrop. The visual connection with the rest of the city is effected on the first floor of the museum, which in certain areas has bars and glass-fronted shops and in others is open to the city.

Three water features, where children play barefoot, interrupt the surface of the square: a linear reflecting pool 60 cm deep, which recreates the old footbaths of the indigenous cultures; a sunken space at whose bottom flows a continuous layer of water, with sitting steps on three of its sides; and a series of water jets at ground level that vary in height and intermittence, thus generating a dynamic space.

Bucaro trees (*Erytrina fusca*) have been planted on two sides of the square. The bucaro tree is a fast-growing autochthonous variety typical of the riverbanks of the region, transplanted here in order to reach a good height from the start.

The grove of *Bambusa gigantea*, a plant that grows spontaneously in the Medellín area, creates a shady area where people can rest and relax. Paths have been laid out inside the bamboo grove, along with a small central space with curved wood benches.

tona típica de las riberas fluviales de la región, trasplantados para obtener buenos tamaños desde un principio. El bambusal de *Bambusa gigantea,* una planta que crece de manera espontánea en la zona de Medellín, crea una zona sombría donde la gente puede descansar y relajarse. Dentro del bambusal se trazaron senderos y un pequeño espacio central con bancos curvos de madera.

Todos los elementos de mobiliario urbano están construidos en madera y se han diseñado especialmente para cada lugar. En las superficies de césped alrededor del bambusal, los bancos rústicos no tienen respaldo, y a lo largo del camino entre el bambusal y la zona de arena unos conjuntos de mesa con bancos fijados al suelo permiten vigilar a los niños.

La apropiación de los espacios por parte de los visitantes, especialmente los niños, es un rasgo distintivo del parque. Por su parte, EPM puso en marcha diferentes actividades sociales dirigidas a las escuelas de la zona para incentivar el conocimiento de la ciudad y la vida pública, una opción inexistente hasta ese momento.

All the components of street furniture are built of wood and have been especially designed for each location. The rustic benches on the areas of lawn around the bamboo grove have no backs, and along the path between the bamboo grove and the sand area groups of tables with benches fixed to the ground allow people to keep an eye on the children.

The appropriation of the spaces by visitors, especially children, is a distinctive feature of the park. For its part, EPM set up different social activities aimed at the local schools in order to encourage an awareness of the city and public life, an option that didn't exist until then.

Restauración y rehabilitación del paisaje
Landscape restoration and rehabilitation

La reutilización de lugares abandonados, la restauración de paisajes degradados y la reconversión de usos del suelo son acciones que, llevadas a cabo en forma independiente o en conjunto como parte de un proceso holístico, apuntan a la creación de nuevos espacios donde el cuidado y la preservación del medio ambiente natural tienen un papel protagonista.

En algunos casos, estas intervenciones acompañan o forman parte de un plan integral; en otros, son intervenciones puntuales que, en mayor o menor escala, se ocupan de la restauración o rehabilitación de funciones de un paisaje modificado por el hombre que ha perdido toda función o forma original.

La destrucción de paisajes y el desuso y abandono de lugares otrora activos y visualmente espectaculares son hechos bastante comunes en Latinoamérica. También es habitual que la falta de recursos financieros sea una de las principales razones por las que la recuperación de dichos lugares no acaba de concretarse.

Sin embargo, a los esfuerzos conjuntos de determinadas instituciones educativas y de investigación y de los gobiernos, se suman los que hacen los proyectistas latinoamericanos para elaborar metodologías y técnicas que ayuden a la recuperación de estos lugares.

The reutilisation of abandoned places, the restoration of degraded landscapes and the reconversion of land use are actions that, carried out independently or together as part of a holistic process, point to the creation of new spaces in which the care and preservation of the natural environment play a leading role.

In some cases these interventions accompany or form part of an integral plan; in others they are one-off interventions that, on a greater or lesser scale, concern themselves with the restoration or rehabilitation of functions of a landscape modified by man that has lost all original function or form.

The destruction of landscapes and the disuse and abandonment of formerly active and visually spectacular locations are rather common occurrences in Latin America. It is also customary for the lack of financial resources to be one of the main reasons why the reclamation of these locations does not take place.

That said, added to the combined efforts of certain educational and research institutions and of governments are those that Latin-American planners make to elaborate methodologies and techniques that help in the reclamation of these sites.

Mangue das Garças, Belém, Brasil

Rosa Kliass

2004

Mangue das Garças, Belém, Brazil

Rosa Kliass

2004

Con este parque se devuelven a la ciudad una ribera fluvial y una cultura naviera olvidadas. La historia se narra a través de la vegetación regional y los usos urbanos se renuevan.

El Mangue das Garças (Manglar de las Garzas) es un proyecto de reconversión de usos inscrito en el plan de renovación de la ciudad amazónica de Belém, implementado a fines de la década de 1990. Ubicado en la ribera del río, el solar pertenecía a la Autoridad Portuaria de la ciudad, que cedió en 2003 al Estado de Pará 4 hectáreas para la construcción de un parque público. El lugar se encontraba aislado de la ribera del río y los grupos de aningas (*Montrichardia arborescens*) por un muro de 1,20 m de alto que lo atravesaba de norte a

With this park, a forgotten riverbank and shipping culture are given back to the city. History is narrated through the vegetation of the region and urban uses are renewed.

The Mangue das Garças (Mangrove Swamp of the Herons) is a use-reconversion project inscribed within the renewal plan for the Amazon city of Belém, implemented at the end of the 1990s. Located on the riverbank, the site belonged to the city's Port Authority, which in 2003 ceded four hectares to the State for the construction of a public park. The site was isolated from the riverbank and the groups of mocou-mocou trees (*Montrichardia arborescens*) by a 1.20-metre-high wall that crossed it from north to south. The mocou-mocous grow sponta-

sur. Las aningas crecen espontáneamente en grupos en estos hábitats acuáticos tropicales y pueden alcanzar los tres metros de altura; para evitar la invasión física y visual en el solar, la Autoridad Portuaria mantenía cortadas las aningas a menos de un metro detrás del muro.

Con el cambio de propiedad y el inicio de las obras del parque, se demolió el muro y

neously in groups in these tropical aquatic habitats and can reach a height of 3 metres; so as to avoid their physical and visual invasion of the plot, the Port Authority kept the mocou-mocous cut down to less than a metre high, behind the wall.

With the change of ownership and the beginning of the works in the park, the wall was demolished and the mocou-mocous allowed

Planta general. El aningal se desarrolla en el frente oeste cruzando los estrechos senderos peatonales; en el lado sur, detrás del lago central, el mari-posario y la pérgola circular; el acceso y los aparcamientos se encuentran en el lado norte.

General plan. The mocou-mocou grove unfolds on the western frontage, crossing the narrow footpaths; on the south side, behind the central lake, the butterfly farm and the circular pergola; the entrance and parking places are found on the north side.

se permitió que las aningas crecieran de forma natural, recuperando así una vegetación ribereña de gran valor cultural, ecológico y estético. Se construyó un camino peatonal de madera que atraviesa el aningal y que enfatiza la sensación de descubrimiento. El objetivo principal del parque era crear un espacio cultural y educativo sobre los paisajes más relevantes de la región amazónica, introduciendo en el solar especies autóctonas emblemáticas de su flora y fauna. Para ello Rosa Kliass trabajó con los conceptos de humedales, selvas y praderas, creando un espacio que reflejara el ecosistema acuático del Amazonas. El agua, por tanto, actúa como elemento de conexión física de las áreas del parque y de conexión conceptual con la historia y la naturaleza locales. El primer elemento de agua, situado en la

to grow in a natural way, thus recovering a riverbank vegetation of great cultural, ecological and aesthetic value. A pedestrian wooden walkway, built across the mocou-mocou grove, emphasises the sense of discovery. The main objective of the park was to create a cultural and educational space about the more relevant landscapes of the Amazon region by introducing autochthonous varieties of its flora and fauna. To do this, Rosa Kliass worked with the concepts of wetlands, jungle and meadow, creating a space that would reflect the aquatic ecosytem of the Amazon. Water, therefore, acts as an element of physical connection of the areas of the park and of conceptual connection with local history and nature. The first water feature, situated in the central square right next to the parking area, is

Vista aérea del parque con el aningal al frente y la ciudad al fondo.

Aerial view of the park with the mocou-mocou grove in the foreground and the city in the background.

a fountain flush with the ground cut out in the shape of irregular geometric lines. From it there proceeds a watercourse, also cut into the ground, that recreates the sinuous bends of the Amazon and is connected with a curved reflecting pool on one side and the central lake on the other; all these elements make up a new hydraulic system. The reflecting pool defines a focal point in the park, partially framed by a stone structure from which a small waterfall descends, and whose edges are planted with grasses and air plants of different colours. This sector is especially visited by children who, barefoot, explore the different kinds of presence of water.

The lake forms the biggest water surface and the one that best recreates the natural riverbank habitats of the tropics. Over much of

Sistema hidráulico que recrea el paisaje acuático del Amazonas y conecta con el lago central.	Hydraulic system which recreates the aquatic landscape of the Amazon and connects with the central lake.	Fuente y cascada de piedra cuyos bordes se plantaron con bromelias y pastos autóctonos.	Spring and stone waterfall whose edges are planted with air plants and autochthonous grasses.

Mantos de jacintos de agua (*Eichornea crassipes*) que cubren gran parte del lago. Los senderos peatonales que cruzan el lago y atraviesan el aningal hacen referencia a la cultura naviera local.
Blankets of water hyacinths (*Eichornea crassipes*) covering much of the lake. The footpaths that cross the lake and go through the mocoumocou grove allude to the local shipping culture.

plaza central inmediata al aparcamiento, es una fuente a ras del suelo recortada en forma de líneas geométricas irregulares. De ella arranca un recorrido acuático, también recortado en el suelo, que recrea los sinuosos brazos del Amazonas y que se conecta con un espejo de agua de formas curvas por un lado y, por otro, con el lago central; todos estos elementos conforman un nuevo sistema hidráulico.

El espejo de agua define un punto focal en el parque, enmarcado parcialmente por una estructura de piedra por la que cae una pequeña cascada, y cuyos bordes están plantados con gramíneas y bromelias de diferentes colores. Este sector es especialmente visitado por los niños que, descalzos, exploran las diversas presencias del agua.

El lago constituye la superficie acuática más

its surface grow dense clusters of Amazon lilies (*Victoria regia*) and water hyacinths (*Eichornea crassipes*), whose delicate white and violet flowers punctuate the predominant greenness; the incorporation of various kinds of parrot's beak helicona (*Heliconia psitacorum*), which form part of the banks of the lake, confers a more ethereal image on the whole. In this sector live different varieties of roseate and white herons and of wild ducks that were introduced into the park, where they adapted without problems.

Little bridges of wood and stone cross the lake and connect up with the park's system of pathways. Visitors can observe the water and the park in general from the bridges, as well as from other spaces and park furniture laid out for this purpose.

In order to fulfil the educational and didac-

Cenador de remate del muelle.
Gazebo at the end of the jetty.

Interior del mariposario.
Interior of the butterfly farm.

extensa y la que mejor recrea hábitats ribe-
reños naturales del trópico. En gran parte
de su superficie crecen espesas formaciones
de irupés (*Victoria regia*) y jacintos de agua
(*Eichornea crassipes*), cuyas delicadas flores
blancas y violáceas interrumpen el verde
predominante; la incorporación de especies
de platanillos (*Heliconia psitacorum*), que
conforman parte de las orillas del lago, con-
fiere una imagen más etérea al conjunto.
En este sector viven diferentes especies de
garzas rosadas y blancas y de patos salvajes
que fueron llevados al parque, donde se
adaptaron sin problemas.
Puentecitos de madera y de piedra cruzan
el lago y se conectan con el sistema de
caminos del parque. Los visitantes pueden
observar las aguas y el parque en general
tanto desde los puentes como desde otros
espacios y mobiliario pensados para ello.
Para cumplir los objetivos educativos y
divulgativos del parque, se construyeron un
aviario, un mariposario y un museo naval,
estos dos últimos con guías especializados y
pago simbólico de entrada. El mariposario

**Garzas rosadas y
blancas.**
Roseate and white
herons.

**Banco y pérgola de
madera a la orilla del río
y del lago.**
Bench and pergola of
wood on the bank of the
river and the lake.

ocupa un volumen de vidrio de planta circular acondicionado para la vida de diversas especies de mariposas autóctonas; en su interior hay pequeños espacios para descansar y elementos de agua para refrescar el ambiente.

A la orilla del río, el edificio de madera del Museu Naval alberga un restaurante de comidas típicas de Belém. En el área del acceso al museo arranca un muelle de 100 m de largo construido sobre pilotes al que se accede por unas largas rampas peatonales y en cuyo extremo, sobre el agua, se ha colocado un cenador rústico. El muelle se utiliza como paseo flotante y el cenador para refugiarse del sol en las calurosas tardes de Belém y poder contemplar la silueta de la ciudad recortada hacia el norte.

Además del museo, se exponen otros elementos —quillas de madera pintadas de colores y reutilizadas como elementos de juego sobre los puentes, carcasas de barcos y viejos botes— que sirven de referencia a la tradición naviera del lugar.

El Mangue das Garças se presenta como un sistema de espacios con vocación urbana que incorpora, conceptualmente, los paisajes típicos de la región, la ribera fluvial y su vegetación característica, y donde el aningal sirve de conexión entre el paisaje antropizado y el existente.

tic aims of the park, an aviary, butterfly farm and naval museum were built, the last two with specialised guides and a symbolic entrance fee. The butterfly farm fills a glass volume with a circular footprint set up for the life cycle of different varieties of autochthonous butterflies; inside, there are small spaces for resting in and water features to refresh the atmosphere.

On the riverbank, the wooden building of the Naval Museum houses a restaurant serving typical Bélem dishes. Proceeding from the access area to the museum is a 100-metre-long pier, built on piles, to which one accedes via long pedestrian ramps and, at whose end, overlooking the water, has been sited a gazebo. The pier is used as a floating walkway and the gazebo as a shelter from the sun in the hot Belém afternoons from where to contemplate the skyline of the city to the north.

As well as the museum, other elements are displayed—wooden keels painted in bright colours and used for playing with on the bridges, ship skeletons and old boats—that make reference to the location's shipping tradition.

Mangue das Garças announces itself as a system of spaces with an urban vocation that conceptually incorporates the typical landscapes of the region, the riverbank and its emblematic vegetation, and where the mocou-mocou grove serves as a connection between the manmade landscape and the existing one.

Piscinas públicas en los cerros San Cristóbal y Chacarillas, Santiago de Chile, Chile

Carlos Martner

1966-1972

Public swimming pools on San Cristóbal Hill and Chacarillas Hill, Santiago, Chile

Carlos Martner

1966-1972

En las laderas boscosas que interrumpen el tejido urbano, un paisaje de agua, vegetación y roca viva se había formado allí donde la roca quedaba desgastada y sobreexpuesta. Un oasis intacto dentro de un oasis urbano que se ofrece a los ciudadanos.

On the wooded slopes that interrupt the urban fabric, a landscape of water, vegetation and living rock had been formed right where the rock was weathered and overexposed. An intact oasis within an urban oasis that presents itself to the citizens.

Santiago de Chile se ha desarrollado en uno de los valles de la cordillera de los Andes. Aunque existen otros ejemplos de ciudades latinoamericanas donde el crecimiento urbano tuvo que adaptarse a la orografía existente, en Santiago de Chile esta adaptación se vio particularmente supeditada al territorio, pues la franja de tierra que va desde los Andes al océano Pacífico tiene un promedio de 180 km de anchura. Las montañas no sólo enmarcan y limitan

Santiago stretches forth in a valley in the Andes. Although other examples exist of Latin-American cities in which urban growth had to adapt to the existing orography, in Santiago this adaptation was particularly dependent upon the territory, since the strip of land that goes from the Andes to the Pacific coast has an average width of 180 km. Not only do the mountains visually and physically frame and delimit the city, they also cross it at certain points. Due to this,

Croquis original.
Original sketch.

Antilen

visual y físicamente la ciudad, sino que también la atraviesan en determinados puntos. Por ello, algunos de los espacios públicos más grandes e importantes de la ciudad se localizan en este paisaje montañoso, como el Parque Metropolitano, conformado por una cadena de cuatro cerros al noreste de la ciudad, a unos 860 m de altitud sobre el nivel del mar.

some of the city's largest and most important public spaces are located in this mountainous landscape, such as Parque Metropolitano, consisting of a chain of four hills some 860 metres above sea level to the northeast of the city.

Parque Metropolitano saw the light of day as a scheme for rehabilitating the over-ex-

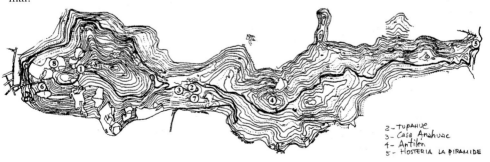

2 - TUPAHUE
3 - Casa Anahuac
4 - Antilen
5 - HOSTERIA LA PIRAMIDE

Perfil topográfico del Parque Metropolitano y ubicación de las piscinas.

Topographical contours of Parque Metropolitano and siting of the swimming pools.

El Parque Metropolitano nació como una propuesta de recuperación de las laderas de los cerros que habían sido sobreexplotados. La propuesta realizada en 1870 por el alcalde Benjamín Mackena tuvo que esperar hasta 1917 para que el gobierno nacional expropiara casi 120 hectáreas y determinase su reforestación y posterior adaptación para el uso público. En 1920, el parque, gestionado por la administración de parques de la ciudad, ya contaba con jardines, un zoo, sistemas de senderos, un centro de observación ambiental y un bosque de 65 hectáreas. En 1966, la Dirección de Arquitectura del Ministerio de Obras Públicas de Chile decidió construir una piscina pública en una de las canteras abandonadas en la cima del cerro San Cristóbal, uno de los cuatro cerros que forman el parque.

Esta piscina de 77 x 23 m aprovechaba una depresión natural y modela el terreno respetando determinadas formaciones caprichosas de la roca incorporándolas al proyecto, como, por ejemplo, un promontorio rocoso que se dejó tal cual en su emplazamiento original para dar la sensación de que emergía del agua. La aireación del agua se consigue mediante un salto de 6 m que aprovecha una formación rocosa existente, como si se tratara de una cascada natural.

Los servicios y vestidores públicos se enterraron en los desniveles del terreno al norte de la piscina, alrededor de la cual se ubicó el solárium conformado por superficies de césped enmarcadas por árboles existentes. Desde estos espacios perimetrales se despliegan fabulosas vistas hacia la ciudad, sus alrededores y las montañas.

Como referencia explícita a la cultura e his-

ploited hillsides. The proposal created in 1870 by the mayor, Benjamín Mackena, had to wait until 1917 for the national government to expropriate almost 120 hectares and to decide on their reforestation and subsequent adaptation for public use. In 1920 the park, managed by the city's parks administration, already had gardens, a zoo, footpath systems, an environmental observa-

Vista aérea de Tupahue,
en el cerro de San
Cristóbal.
Aerial view of Tupahue,
on San Cristóbal Hill.

Vista aérea de Antilén,
en el cerro de Chacarillas.
Aerial view of Antilén,
on Chacarillas Hill.

Tupahue en verano. La roca que emerge del agua formaba parte de la cantera original donde se ha ubicado la piscina; detrás de la vegetación, unas vistas hacia Santiago de Chile. Tupahue in summer. The rock emerging from the water formed part of the original quarry where the swimming pool has been sited; behind the vegetation, views towards Santiago de Chile.

En primer plano, ventilaciones de vestuarios y sanitarios subterráneos. In the foreground, ventilation ducts from the underground changing rooms and toilets.

Mural de piedra que representa el encuentro de las culturas aborígenes chilena y mexicana. Stone mural depicting the meeting of Chilean and Mexican indigenous cultures.

toria locales, un mural del artista mexicano Juan O'Gorman se construyó enteramente con diversas piedras locales, y fue ejecutado por la muralista chilena María Martner. El muro, de 27 × 6,5 m, cubre una pared vertical del corte del terreno que únicamente puede verse desde la zona de la piscina. Esta obra fue regalo del embajador de México en Chile y representa el encuentro

tion centre and 65 hectares of woodland. In 1966 the Architecture Management Department of Chile's Ministry of Public Works decided to construct a public swimming pool in one of the abandoned quarries at the top of San Cristóbal Hill, one of the four hills that form the park. This 77 × 23-metre swimming pool made use of a natural depression and contours

entre culturas aborígenes mexicanas y
chilenas.

El lugar se llamó Tupahue, que en la lengua
mapuche significa "lugar de Dios".

Seis años después de la construcción de
Tupahue, la administración de parques
decidió crear una segunda piscina, Antilén,
en el cerro Chacarillas, otro de los cerros
del Parque Metropolitano, en este caso reu-
tilizando una alberca abandonada. Como
en Tupahue, la piscina se modeló siguiendo
la topografía en una serie de terrazas perimetrales a modo de zigurat o pirámide
truncada, colocando la piscina en el nivel
más alto y enterrando los servicios en un
lateral.

En los muros de contención, bordes, terrazas y elementos ornamentales se ha utilizado piedra. Dentro de la piscina propiamen-

the terrain by respecting certain capricious
rock formations and incorporating them in
the design. This was the case with a rocky
promontory, which was left intact so as to
give the impression that it emerged from
the water. Aeration of the water is achieved
by means of a 6-metre cascade that makes
use of an existing rock formation, as if it
were a natural waterfall.

The public facilities and changing rooms
were buried in the sloping ground to the
north of the pool, around which were sited
the solarium consisting of areas of grass
framed by existing trees. Opening out from
these perimetral spaces are fabulous views
towards the city, its surroundings and the
mountains.

As an explicit reference to local culture and
history, a mural by the Mexican artist Juan
O'Gorman was constructed entirely of different kinds of local stone and was executed
by the Chilean muralist María Martner.
Measuring 27 x 6.5 m, the mural covers a
vertical face of a section of the terrain that
can only be seen from the swimming pool
area. This work was a gift of the Mexican
Ambassador to Chile and depicts the en-
counter between Mexican and Chilean indigenous cultures.

The site was called Tupahue, which in the
Mapuche language means "God's place".
Six years after the building of Tupahue, the
parks administration decided to create a second swimming pool, Antilén, on Chacarillas
Hill, another of the hills in Parque Metropolitano, by in this instance reutilising an
abandoned reservoir. As in Tupahue, the
pool was modelled by following the topography in a series of perimetral terraces akin to

**Sector de solárium en
voladizo de Antilén con
vistas a la ciudad.**

**Antilén's jutting
solarium sector with
view of the city.**

**Monolito de piedra de
Antilén con una acacia
que conserva su ubica-
ción original.**
Antilén's stone monolith
with an acacia still in its
original position.

**Elementos de piedra de
reminiscencias preco-
lombinas que delimitan
las zonas de la piscina.**
Stone features with pre-
Columbian echoes that
delimit the swimming
pool areas.

Atardecer en Antilén.
Dusk in Antilén.

te dicha se mantuvo otro promontorio rocoso sobresaliente como elemento ornamental, en cuya cima había crecido una *Acacia
caven* y al que se accede mediante una suave
rampa desde al agua. Otras piezas irregulares de piedra, con reminiscencias precolombinas, sirven de muretes divisorios para dife-
renciar el área infantil de la de adultos.

Al construir las piscinas se plantaron una
gran cantidad de árboles, en su mayor parte
autóctonos: los peumos (*Cryptocaria alba*) y
los cohiues (*Nothofagus dombeyii*) en
Tupahue, y los arrayanes (*Myrceugenella apiculata*) y las especies arbustivas de aloe en
Antilén.

Ambas piscinas están abiertas al público,
previo pago de una entrada, seis días a la
semana. Desde su inauguración, Tupahue y
Antilén han estado abiertas sin interrupción
y su uso ha ido variando según la situación
económica del país: de no alcanzar los
9.000 visitantes en la temporada 1990-1991
a superar los 22.000 en la de 2002-2003.

Varios éxitos destacan en estos proyectos
hermanos: la transformación de lugares
abandonados en zonas recreativas públicas
(iniciativa pionera en las décadas de 1960 y
1970); la utilización del paisaje como materia modelable que da identidad, lo que se
logró subordinando el diseño a las formas
preexistentes y la integración e incorporación del paisaje a través de vistas protagonistas; y el mantenimiento de los lugares en el
tiempo, en este caso por la Administración
de Parques Públicos de Santiago de Chile.

a ziggurat or truncated pyramid, the pool
being located at the highest point and the
services buried to one side.

The retaining walls, edges, terraces and ornamental details have been built in stone. Kept
as an ornamental feature within the swimming pool per se was another overhanging
rocky promontory, on whose top an *Acacia
caven* had grown and to which one accedes
via a gentle ramp from the water. Other irregular pieces of stone, with pre-Columbian
echoes, serve as low dividing walls for differ-
entiating the children's area from the adults'.
When constructing the swimming pools a
great many trees, mostly autochthonous,
were planted: peumos (*Cryptocaria alba*) and
Southern beeches (*Nothofagus dombeyii*) in
Tupahue; arrayans (*Myrceugenella apiculata*)
and aloe shrub varieties in Antilén.

Both swimming pools are open to the public, on buying a ticket, six days a week. Since
their inauguration Tupahue and Antilén
have been open without interruption and
their use has varied according to the economic situation of the country: from a little
under 9,000 visitors in the 1990-1991 season
to more than 22,000 in the 2002-2003 one.

It is worth pointing to various successes in
these twin projects: the transformation of
abandoned places in recreational public
areas (a pioneering initiative in the 1960s
and 70s); the utilisation of landscape as a
malleable material that provides identity,
which is arrived at by subordinating the design to pre-existing forms and the integration and incorporation of landscape through
dramatic views; and the maintenance of such
places over time, in this case by Santiago de
Chile's Public Parks Administration.

Restauración del jardín xerofítico del Parque del Este, Caracas, Venezuela

Fernando Tabora, Enrique Blanco, con Leandro Aristeguieta (botánico) y César Díaz (horticultor)

2003-2004

Restoration of the xerophytic garden in Parque del Este, Caracas, Venezuela

Fernando Tabora, Enrique Blanco, with Leandro Aristeguieta (botanist) and César Díaz (horticulturist)

2003-2004

La restauración efectuada sobre el parque más importante de Caracas devuelve a la ciudad un jardín de formas y colores únicos, con una flora local que vuelve a exhibirse en todo su esplendor con fines educativos.

The renovation carried out on Caracas' most important park restores a garden of unique forms and colours to the city, with a local flora that is once again displayed for educational ends, in all its splendour.

Con 77 hectáreas y construido entre 1958 y 1963, el Parque del Este es el parque público más grande de Caracas y el que recibe más visitantes por año; diseñado para recibir un flujo de 16.000 personas al día, el lugar llegó a ser visitado por unas 200.000 personas al día. Este aumento de los visitantes se produjo tras la ubicación en 1988 de una parada de metro frente al acceso del parque que comportó la sobreutilización y consecuente degradación de sus espacios. A ello se sumó la falta de mantenimiento al coinci-

With its 77 hectares, and built between 1958 and 1963, Parque del Este is the largest park in Caracas and the one that receives most visitors a year; designed to receive a daily influx of 16,000 people, the place has been visited by up to 200,000 people a day. This increase in visitors came about after the siting in 1988 of a metro station opposite the park entrance, which led to the overuse and consequent degradation of its spaces. Added to this was the lack of maintenance, in coinciding with a downturn in the

Equipo de proyecto del Parque del Este en Caracas: Roberto Burle Marx (centro), Fernando Tabora (izquierda) y John Stoddart (derecha).

Design team of Parque del Este in Caracas: Roberto Burle Marx (centre), Fernando Tabora (left) and John Stoddart (right).

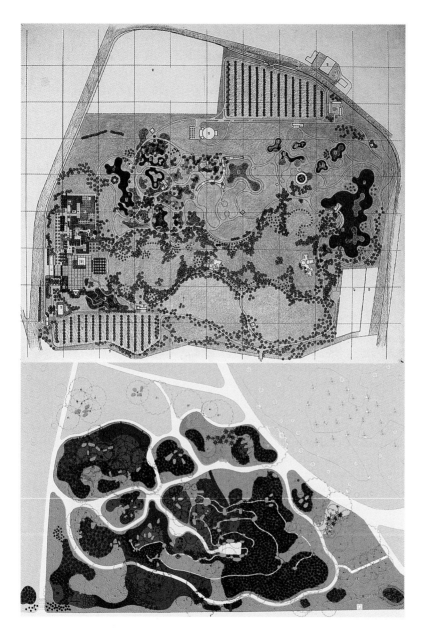

**Planta del jardín
xerofítico restaurado.
Plan of the restored
xerophytic garden.**

**Planta general de Parque
del Este: el jardín xerofítico contiguo al aparca-
miento al oeste.**

**General plan of Parque
del Este: the xerophytic
garden next to the park-
ing area to the west.**

dir con una mala etapa de la economía
venezolana, lo que hizo que el parque aca-
base en un estado de negligencia general.
La historia del parque y el continuo uso de
sus espacios en mal estado incitaron a un
proceso de restauración y renovación impulsado por el Instituto Nacional de
Parques (INPARQUES) y el Instituto de
Patrimonio Cultural de Venezuela (IPC) a
finales de la década de 1990.
El lugar, un importante cafetal en origen
adquirido por el gobierno en la década de
1950 mediante subasta pública, fue objeto
de diversos proyectos de renovación que no
se llevaron a cabo. En 1958, con la vuelta de
la democracia, se decidió finalmente cons-

Venezuelan economy, which meant that the
park ended up in a state of general neglect.
The history of the park and the continual
use of its rundown spaces prompted a
process of restoration and renovation
launched by the National Parks Institute
(INPARQUES) and the Venezuelan
Cultural Heritage Institute (IPC) at the end
of the 1990s.
The site, an important coffee plantation in
origin, acquired at auction by the government in the 1950s, was the object of different renovation projects that were not carried out. In 1958, with the return of
democracy, it was finally decided to construct a public park, with Roberto Burle
Marx and various European horticulturists
being convoked for the project.
Roberto Burle Marx set up an office in
Caracas, and Fernando Tabora and John
Stoddart—who travelled with Burle Marx
through the different regions of Venezuela
to bring back native plant varieties—super-
vised the park's construction. With its avant-
garde design, it formed the largest park in
the city and included the country's most relevant autochthonous flora, lakes and a zoo.
So as to conserve these characteristics and
to maximise the park as a whole, in 1998
the IPC catalogued it as part of Venezuela's
Cultural Heritage and, by order of INPAR-
QUES, began to draw up an Integral
Maintenance Plan. The 2003 plan was elaborated by the Venezuelans Diana Henríquez
and Eugenia Bacci in collaboration with the
Canadian Cecilia Paine, according to the
conservation criteria for such places de-
creed by UNESCO.
In 2004 the first restoration work was speci-

**Croquis del jardín
restaurado.
Sketch of the restored
garden.**

truir un parque público, convocando a Roberto Burle Marx y a varios horticultores europeos para el proyecto.
Roberto Burle Marx instaló una oficina en Caracas, y Fernando Tabora y John Stoddart —que viajaron con Burle Barx por las diferentes regiones venezolanas para traer especies nativas— se ocuparon de la construcción del parque. Con un proyecto de vanguardia, constituía el mayor parque de la ciudad e incluía la flora autóctona más relevante del país, lagos y un zoo.
Con el fin de conservar estas características y poner en valor el parque en su totalidad, en 1998 el IPC lo catalogó como

fied for the xerophytic garden, one of the areas with an educational purpose that formed part of the 1958 project, of just under a hectare. This thematic garden exhibits plant varieties from dry climates from different parts of the world—aloe, needle palm, euphorbia, agave cactus and cycad— along with other Venezuelan varieties like red frangipani (*Plumeria rubra*) and different kinds of air plant.
The xerophytic garden occupies the west side of one of the parking areas and is situated on an artificial hillock constructed with infill and earth from the excavating of the park's lakes. The orientation of the area

Grupo de yucas en uno de los bordes del jardín xerofítico.
Group of needle palms in one of the borders of the xerophytic garden.

Patrimonio Cultural de Venezuela y, por
encargo de INPARQUES, comenzó a deli-
near un Plan Integral de Mantenimiento.
El plan de 2003 fue elaborado por las venezolanas Diana Henríquez y Eugenia Bacci
en colaboración con la canadiense Cecelia
Paine, siguiendo los criterios de conservación de lugares dictados por la Unesco.
En 2004 se concretó el primer trabajo de
restauración del jardín xerofítico, una de
las zonas con fines educativos, que formaba
parte del proyecto de 1958, de poco menos
de una hectárea donde se exponen variedades de plantas de climas secos de diferentes
partes del mundo —aloe, yucca, euforbia,

Grupos de palmas y
rocas reubicadas en sus
lugares originales.
Groups of palms and
rocks resited in their
original spots.

Aechmea aquilega:
especies de floración del
jardín.
Aechmea aquilega: gar-
den-flowering varieties.

Grupo de agaves.
Group of agave cacti.

agave y cyca— y otras venezolanas, como la *Plumeria rubra* o frangipani y diferentes variedades de bromelias.

El jardín xerofítico ocupa el lado oeste de una de las zonas de aparcamientos y está situado sobre un montículo artificial construido con material de relleno y tierra procedente de la excavación de lagos del parque. La orientación de la zona junto al calor que generan las superficies pavimentadas del aparcamiento crearon las condiciones idóneas para el crecimiento de este jardín.

No obstante, el paso del tiempo y la falta de plus the heat the paved areas of the parking lot generate created the ideal conditions for the growth of this garden.

However, the passing of time and the lack of maintenance meant that some varieties developed in excess while others lost ground. Upon beginning the survey work —undertaken by the Venezuelan company ABSIDE with the consultation of Fernando Tabora—some of the inner footpaths were totally blurred, the earth had become compressed and the rocks that had been brought from the Río San Julián to demar-

Sendero del jardín alrededor de especies suculentas y cactus.
Garden path going around succulent varieties and cacti.

mantenimiento se encargaron de que algunas especies se desarrollaran en exceso y que otras fueran perdiendo terreno.

Al iniciar los trabajos de levantamiento —realizados por la empresa venezolana ABSIDE con el asesoramiento de Fernando Tabora—, algunos de los senderos interiores estaban totalmente desdibujados, la tierra se había compactado y las rocas que se habían traído desde el río San Julián para demarcar sectores se habían movido de lugar.

Por ello se procedió a trabajar por fases para recuperar lentamente la imagen inicial del

**Espacio replantado
y restaurado.
Replanted and restored
space.**

Espacio cerrado conformado por rocas de río y enmarcado entre especies xerofíticas.

Enclosed space created by river rocks and set among xerophytic varieties.

lugar. Primero se efectuaron trabajos de limpieza de la zona volviéndose a trazar los senderos originales, conservando en viveros temporales las plantas que debían trasladarse para después trasplantarlas e introducir nuevas especies acordes con las características del jardín y resituar las rocas que se habían movido. En una última etapa se redibujaron los planos del lugar y se inventariaron las especies plantadas, para contar con una base de datos en posteriores trabajos. Esta última etapa es de especial importancia pues, de acuerdo con el trabajo mayormente in situ de Roberto Burle Marx, sólo existían levantamientos gráficos de unos pocos sectores del parque.

La restauración del jardín xerofítico devolvió al Parque del Este una de sus zonas más interesantes, no sólo desde un punto de vista estético sino también cultural. Aunque formalmente se percibe como un único conjunto paisajístico, este jardín expone la gran variedad botánica de las formaciones tropicales de climas secos, con unas formas escultóricas y vivos colores, con el mismo espíritu original de difusión de la flora local.

En la actualidad, desgraciadamente la administración del parque no es la deseada y no hay una continuidad en los trabajos de restauración. Sin embargo, el estado del jardín xerofítico todavía sirve de ejemplo de actuación responsable.

cate different sectors had moved from their position.

Due to this, it was decided to work in phases in order to slowly recover the initial image of the place. First of all, a cleaning up of the area was carried out, with the original footpaths being retraced, the plants that had to be moved kept in temporary nurseries before being transplanted, new varieties introduced in keeping with the characteristics of the garden, and the rocks that had moved resited. In one last stage the plans of the location were redrawn and the planted varieties inventoried in order to provide a database for later interventions. This last stage is of particular importance since, in consonance with the mainly *in situ* work of Roberto Burle Marx, graphic surveys of the park existed only for a few sectors.

Restoration of the xerophytic garden enabled Parque del Este to get back one of its most interesting areas, not only from the aesthetic point of view but also the cultural one. Though formally perceived as a single entity qua landscape, this garden displays the great botanical variety of the tropical formations of dry climates, with sculptural shapes and bright colours, with the original spirit of propagation itself of the local flora.

At the present time the administration of the park is not, alas, all that one might wish for and there is no continuity in the restoration work. For all that, the state of the xerophytic garden still serves as an example of a responsible intervention.

Parque del Agua, Bucaramanga, Colombia

Lorenzo Castro, Michelle Cescas, Alfonso Leyva, Germán Samper

2001-2003

Parque del Agua, Bucaramanga, Colombia

Lorenzo Castro, Michelle Cescas, Alfonso Leyva, Germán Samper

2001-2003

Un lugar lleno de árboles añejos y marcado por la historia del agua, elemento vital que se llevaba a las ciudades coloniales, constituye hoy un parque de conjuntos frondosos con el agua como elemento de memoria y recreo.

Bucaramanga es una ciudad del norte de Colombia situada en un valle tropical, que parece congelada en el tiempo por el ritmo lento de la vida de sus habitantes y el pasado colonial. Sin embargo, su afán de crecimiento se manifiesta en la presencia de la Universidad Autónoma de Bucaramanga y en algunas intervenciones puntuales de renovación urbana que combinan la historia local con un lenguaje contemporáneo, como el Parque del Agua, que rehabilitó el lugar donde se situaba la planta histórica de

A site full of mature trees and marked by the history of water, a vital element that was brought to colonial cities, today forms a park of verdant stands with water as an element of memory and recreation.

Bucaramanga is a city in the north of Colombia situated in a tropical valley, which seems frozen in time due to its inhabitants' slow pace of life and its colonial past. All the same, its desire for growth is manifested in the presence of the Universidad Autónoma de Bucaramanga and in a number of one-off interventions of urban renewal that combine local history and a contemporary language, like Parque del Agua, which rehabilitated the site of the historic city's water supply plant. The private Bucaramanga Aqueduct

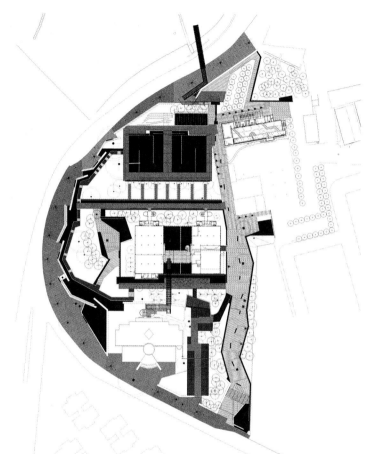

Planta general. El acceso ceremonial se sitúa en el lado sur del emplazamiento, desde donde parten dos conexiones peatonales hacia el extremo norte; los edificios administrativos se sitúan entre dichas conexiones; en la parte más alta, al oeste, se encuentran los tanques de decantación. General plan. The ceremonial entrance is located on the south side of the site, from where two pedestrian connections proceed towards the northern end; the administration buildings are situated among these connections; in the highest reaches to the east are the runoff tanks.

abastecimiento de agua de la ciudad. La entidad privada Compañía del Acueducto de Bucaramanga nació en 1916 con el fin de abastecer de agua a Bucaramanga y otras dos ciudades; desde entonces y hasta la década de 1960 se fueron construyendo diversas plantas de tratamiento. Durante este período de crecimiento, los alrededores de las instalaciones de la planta principal estaban ajardi-

Company was born in 1916 with the aim of supplying water to Bucaramanga and two other cities; from that date onwards and up until the 1960s different treatment plants were built. During this period of growth the surroundings of the main plant's installations were landscaped with areas of grass and spontaneous vegetation, which the local people appropriated as a public space of

nados con superficies de césped y vegetación espontánea que los ciudadanos se habían apropiado como espacio público de descanso y ocio. Al añadir nuevos tanques y equipos, el lugar perdió su carácter de jardín y dejó de ser una zona de recreo.

En 1975 el Ayuntamiento compró el acueducto y el abastecimiento de agua empezó a gestionarse por una sociedad mixta que no hizo ningún intento por recuperar aquellos espacios verdes. No fue hasta finales de 2001 cuando se planteó el traslado de las oficinas administrativas al solar de la planta principal, llamada Morrorrico, que todavía hoy sigue parcialmente en funcionamiento. El ingeniero Víctor Azuero Díaz, gerente del acueducto, propuso entonces reconvertir las zonas degradadas, de aproximadamente 3,5 hectáreas, en un parque público que hiciera referencia a la antigua apropiación espontánea del lugar.

En principio se había pensado destinar estas zonas a aparcamientos, pero el alcalde

relaxation and leisure. In adding new water storage facilities the place lost its garden-like quality and ceased to be a recreation area. In 1975 the City Council bought the aqueduct and the supplying of water began to be administered by a joint company that made no attempt to recover those green spaces. It was not until the end of 2001 that the moving was mooted of the administrative offices to the land of the main plant, called Morrorrico, which continues to function in part even today. The engineer Víctor Azuero Díaz, manager of the aqueduct, proposed at the time to reconvert the degraded areas, approximately 3.5 hectares in size, into a public park that would make reference to the old spontaneous appropriation of the spot.

At first it was thought to devote these areas to parking spaces, but the mayor of the city, Iván Moreno Rojas, supported the idea of constructing a park that would celebrate the theme of water.

La presencia del agua acompaña constantemente el recorrido ascendente del camino ceremonial y del sendero norte.

The presence of water constantly accompanies the ascending route of the ceremonial pathway and the north path.

Camino ceremonial que bordea el lado sur del lugar y que sirve de acceso a otros senderos que cruzan el parque en dirección opuesta.

Ceremonial pathway bordering the south side of the location which serves as an access to other paths crossing the park in the opposite direction.

Primer sendero que atraviesa de norte a sur el lugar. El muro-cascada recibe el agua de un espejo de agua de un nivel superior.
The first pathway crossing the location from north to south. The waterfall-wall receives water from a reflecting pool higher up.

Espejo de agua situado en el nivel más bajo del parque; en la parte posterior, el nuevo espacio creado tras ampliar la acera del norte.
Reflecting pool situated at the very bottom of the park; to the rear, the new space created after extending the northern pavement.

de la ciudad, Iván Moreno Rojas, apoyó la idea de construir un parque que celebrara el tema del agua.

El proyecto se basó en el uso y la exposición del agua como elemento funcional en las obras de ingeniería hidráulica y, para lograrlo, se aprovechó la topografía natural del terreno. Entre los 200 m que separan los laterales este y oeste hay un desnivel de unos 20 m que se utilizó para crear un circuito cerrado donde el agua cae por gravedad, se recoge y se estanca en determinados puntos. Como complemento, la idea paisajística se basa en la preservación de la vegetación existente —principalmente árboles autóctonos, como el ocobo (*Tabebuia roseae*) y el caracole (*Anacardium excelsum*) y plantaciones de bambúes de más de 9 m de altura— y la recreación de hábitats tropicales sombríos con palmas y herbáceas.

El espacio del parque es homogéneo y acabado en sí mismo, aunque ofrece diferentes zonas que se descubren a través de un recorrido peatonal que resigue el circuito del agua.

Los peatones siguen un camino ceremonial de acceso en el lado sur del solar y un sendero secundario que bordea el lado norte con dos recorridos que conectan y atraviesan todo el solar: el primero está definido por un estanque lineal y un muro-cascada, y el segundo por un talud que alterna saltos de agua y composiciones vegetales; entre ambos, se han situado las instalaciones del acueducto.

El camino ceremonial, de 14 m de ancho, enmarcado por el importante arbolado existente, está acompañado por dos fuentes lineales, y se va abriendo a los diferentes espacios del parque.

El primero de los recorridos desde este camino principal atraviesa un sendero de madera y un estanque lineal que visualmente quedan enmarcados por el telón de fondo del muro-

The project design is based on the use and exhibition of water as a functional element in works of hydraulic engineering and, in order to achieve this, good use was made of the natural topography of the terrain. Between the 200 metres that separate the east and west sides there is a change of level of some twenty metres, which is used to create a closed circuit where the water falls through gravity, is collected and displayed at certain points.

As a complement, the landscape design idea is based on the preservation of existing vegetation—mainly autochthonous trees like the ocobo (*Tabebuia roseae*) and wild cashew (*Anacardium excelsum*), plus bamboo plantations more than nine metres tall— and the recreation of shaded tropical habitats with palm trees and herbaceous plants.

The park space is homogeneous and perfect in itself, although it provides different areas that are discovered via a pedestrian route that keeps to the water circuit.

The pedestrians follow a ceremonial access path on the south side of the land, a secondary footpath that skirts the north side and two connecting routes that cross the entire site: the first is defined by a linear pool and a waterfall-wall, and the second by a bank that alternates waterfalls and plant compositions; placed between the two are the aqueduct installations.

The formal path, fourteen metres wide, is set within the considerable existing woodland. Accompanied by two linear water sources, it gradually opens out to the different spaces of the park.

The first of the north-south connecting routes crosses a wooden footpath and a linear pool that are visually framed by the backdrop of the stone waterfall-wall. This wall covers one of the lateral facades of the administrative building and the water which falls down it comes from a reflective pool

cascada de piedra que cubre una de las
fachadas laterales del edificio administrativo.
El agua que cae por este muro procede de
un espejo de agua que hay en cubierta. Al
final del sendero puede verse el límite norte
del parque y un espejo de agua de forma
irregular que se extiende en su parte frontal.
El segundo recorrido, ubicado debajo de
dos tanques de decantación que aún se
encuentran en funcionamiento, genera un
espacio lineal que recrea ambientes tropicales locales. A un lado de este sendero, unos
grupos tupidos de bambú se doblan hacia

on the roof. Visible at the end of the footpath is the northern edge of the park and
an irregularly shaped reflective pool that
stretches forth on its front part.
The second connecting route, sited below
two runoff tanks that still work, generates a
linear space that recreates the tropical environments of the zone. To one side of this
footpath, dense stands of bamboo bend forward, their weight and height closing the
space off; on the other side a natural bank
of stone intercalates waterfalls and borders
with varieties of heliconias, philodendrons

Sendero que bordea el
lado norte; muro divisorio
construido con piedra
local y madera para una
mayor permeabilidad vi-
sual hacia el exterior.

Pathway flanking the
north side; dividing wall
built of local stone and
wood for greater visual
permeability towards the
outside.

Segundo sendero que
atraviesa de sur a norte
el emplazamiento: lo flan-
quea en uno de sus lados
un bambusal existente y
en el otro unos taludes
que alternan saltos de
agua y plantas autócto-
nas.

Second pathway crossing
the site from south to
north: an existing bam-
boo grove flanks it on
one side and on the other
banks which alternate
waterfalls and autochtho-
nous plants.

delante cerrando el espacio por su peso y
altura; al otro lado, un talud natural de piedra intercala saltos de agua y franjas con
especies de heliconias, philodendros y pastos. Bajo el bambú, un banco ergonómico
de madera, que coincide en longitud con el
sendero, se sitúa en una zona de sombra
donde puede disfrutarse del rumor del agua
y constituye el lugar más concurrido del
parque.

El sendero norte del parque, con un ancho
máximo de 2 m, cierra el circuito y se pega
a la acera; con un desarrollo en curva, resigue el perímetro del solar y bordea otro
curso lineal de agua. El muro divisorio fue
proyectado con una base de piedra local y
un remate de varas de madera; su permeabilidad visual permite una mayor relación
con el entorno que con el viejo muro de
cierre de ladrillo. Como parte del proyecto,
también se ensanchó la acera contigua,
creando un nuevo espacio urbano que
potencia la experiencia sensorial del parque.
La provisión de espacios para poder comer,
zonas de aseos públicos y la reconversión de
la parte más alta del lugar se vieron aplaza-
das con los cambios en la alcaldía, y de
momento no tienen fecha prevista para su
ejecución. Sin embargo, lo construido hasta
ahora ha devuelto a los habitantes de
Bucaramanga y de las ciudades vecinas un
espacio donde la naturaleza y la historia
locales se pueden apreciar y experimentar
cada día.

and grasses. Under the bamboo, an er-
gonomic wooden bench parallel to the path
is situated in a shady area, the park's most
popular, where people can enjoy the mur-
mur of the water.

The park's northern path, with a maximum
width of two metres, rounds off the circuit
and sticks close to the pavement; curved in
shape, it follows the perimeter of the site and
skirts another linear watercourse. The dividing wall was designed with a base of local
stone and a top of wooden poles; its visual
permeability permits a better relationship
with the surroundings than with the old
boundary wall of brick. As part of the project,
the adjacent pavement was also extended,
thus creating an urban space that strengthens
the sensory experience of the park.

The provision of spaces for eating in, areas
with public toilets and the reconversion of
the upper reaches of the site were postponed
due to changes at City Hall, and for the mo-
ment no date has been set for their execution. All the same, what has been built up
until now has given back to the inhabitants
of Bucaramanga and the neighbouring cities
a space where local nature and history can
be experienced and appreciated each day.

**Una de los saltos de agua
y el sendero inferior vis-
tos desde el nivel supe-
rior, que coincide con los
tanques de decantación
del acueducto.**
One of the waterfalls and
the lower pathway seen
from the upper level,
which coincides with the
aqueduct's runoff tanks.

**Detalle del nuevo espacio
urbano al borde norte del
parque.**
Detail of the new urban
space on the northern
edge of the park.

**Proyectos con fines
turísticos y culturales**
Projects with tourist
and cultural aims

En los últimos años, la gestión del turismo como herramienta de exposición, educación y mantenimiento se ha venido convirtiendo en una posibilidad cada vez más utilizada y susceptible de mejora por gobiernos nacionales y organismos locales de todo el mundo. Este tipo de proyectos también vienen tutelados por organismos internacionales de conservación, como la declaración de Paisajes Culturales Patrimonio de la Humanidad por parte de la Unesco con el fin de "legar a las generaciones futuras los paisajes de valor excepcional" [1] por sus características singulares y por ocupar vastos territorios. Existen muchos lugares donde la impronta del hombre es altamente significativa y que poseen un valor cultural particularmente identificable, lo que convierte en espacios de exhibición y parte del repertorio turístico de una región. Hoy en día, el "lugar turístico" sostenible no se piensa como un simple espacio que ofrece actividades recreativas, sino como uno que contiene un valor cultural: desde los paisajes-museo que exponen significados, historias o valores de una determinada cultura, hasta aquéllos donde el ocio y el disfrute son los objetivos primordiales. Latinoamérica constituye un mosaico de paisajes y de culturas entrelazadas y superpuestas con unos límites que se desdibujan y se redefinen constantemente: se comparten ríos y montañas, pueblos originarios y sus medios de expresión, técnicas y materiales y acontecimientos pasados y presentes.

Los proyectos que materializan esa recreación hacen una referencia, honesta y poco pretenciosa, a dichos elementos culturales y a los mismos paisajes que los generan.

In recent years the management of tourism as an exposition, education and maintenance tool has become a possibility that is both capable of improvement and increasingly used by national governments and local institutions the world over. These sorts of projects are also guided by international conservation bodies like UNESCO and its World Heritage Cultural Landscapes declaration, the aim of which is to "bequeath to future generations landscapes of exceptional value" [1] due to their singular characteristics and to their enormous size. Many locations exist in which humankind's imprint is highly significant and possessed of a particularly identifiable cultural value, which turns them into exhibition spaces and into part of a region's tourist repertoire.

At present the sustainable "tourist location" is not thought of as a simple space that offers recreational activities but as one that has a cultural value: from museum-landscapes that display the meanings, histories or values of a given culture to those in which leisure and enjoyment are the main objectives.

Latin America forms a mosaic of landscapes and interwoven and superimposed cultures with boundaries that are constantly blurred and redefined: they share rivers and mountains, original peoples and their means of expression, techniques and materials and past and present events.

The projects that give material form to that re-creation make honest and unpretentious reference to said cultural elements and to the actual landscapes that generate them.

[1] Objetivos planteados por la Convención de Patrimonio Cultural y Natural (1972) para el Comité de Patrimonio Mundial de la Unesco.

[1] Objectives set by the Cultural and Natural Heritage Convention (1972) for UNESCO's World Heritage Committee.

Termas de Puritama, San Pedro de Atacama, y termas Geométricas, Pucón, Chile
Germán del Sol

2000 y 2002

Puritama hot springs, San Pedro de Atacama, and Geométricas hot springs, Pucón, Chile
Germán del Sol

2000 and 2002

Dos lugares con una naturaleza dominante y una importante presencia de culturas aborígenes: uno caracterizado por la falta de agua y el otro por su abundancia. Ambos son zonas de pozos termales que han sido modelados con las imposiciones de sus paisajes y su historia.

San Pedro de Atacama y Pucón se encuentran respectivamente en el norte y el sur de Chile, en dos regiones con geografías y paisajes muy diferentes: el primero es un oasis en el desierto mas árido del planeta, el desierto de Atacama; Pucón es una ciudad situada en la zona de los lagos de la Patagonia chilena, al borde del lago Villarrica y del volcán homónimo. Las características geológicas de los pozos termales de ambos lugares unidas a

Two locations with a commanding natural environment and an important presence of indigenous cultures: one characterised by a lack of water and the other by its abundance. Both are areas of hot springs that have been modelled with the impositions of their landscapes and their history.

San Pedro de Atacama and Pucón are found in the north and south of Chile, respectively, in two regions with very different geographies and landscapes: the first is an oasis in the planet's most arid desert, the Atacama Desert; Pucón is a town situated in the lakes area of Chilean Patagonia, beside Lake Villarrica and the volcano of the same name. The geological characteristics of the hot springs in both places, together with

sus excepcionales entornos naturales definieron la construcción de unos establecimientos termales públicos de particular belleza.

Termas de Puritama

Las termas de Puritama están situadas a unos 35 km de San Pedro de Atacama a lo largo de un cañón de 600 m de largo. El camino que llega al lugar atraviesa el desierto a una altura de unos 2.450 m sobre el nivel del mar; las termas propiamente dichas se encuentran a unos 2.150 m, en la quebrada de Puritama. Cuando Germán del Sol visitó por primera vez el lugar, el agua manaba de ocho pozos a una temperatura media de 30 º C y había pequeños grupos de cola de zorro (*Cortaderia atacamensis*)

que contrastaban con la extrema aridez del paisaje y dos edificios de adobe de la época de la conquista de Atacama por los incas. Los pozos se ensancharon y se hicieron más profundos, y sus paredes se revistieron con piedra del lugar, conservando la vegetación gracias a un sencillo sistema de riego por

their exceptional surroundings, determined the building of public thermal establishments of special beauty.

Puritama hot springs

The Puritama hot springs are 35 km from San Pedro de Atacama in a canyon 600 m long. The road that reaches the location crosses the desert at a height of 2,450 m above sea level; the actual hot springs are

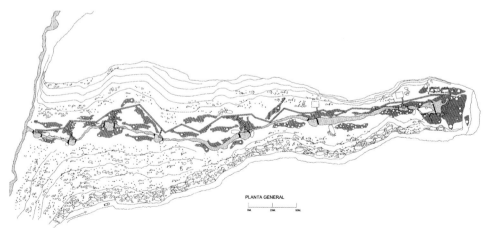

PLANTA GENERAL

Planta general de las termas de Puritama. General plan of the Puritama hot springs.

Sistemas de terrazas para la conducción del agua en Tipón. Paisajes históricos cuyos elementos se utilizaron como referencia cultural y constructiva.

Terrace systems for the supplying of water in Tipón. Historic landscapes whose features were used as a cultural and constructional reference in the designs.

gravedad que cae desde una pileta colectora situada en la parte más alta del lugar, una operación que derivó en el crecimiento de nuevas masas de pastos autóctonos. Los dos edificios existentes fueron restaurados y rehabilitados como oficinas de información y mantenimiento.

Una pasarela flotante de madera resigue el curso de la quebrada que, al aproximarse a los pozos, forma unas pequeñas plataformas en voladizo sobre al agua para el uso de los visitantes.

Dos sencillos volúmenes pintados en blanco, que recuerdan a las construcciones populares de San Pedro de Atacama, albergan los servicios y vestuarios. La población local controla y mantiene el lugar y cobra entrada a los turistas, aunque ellos tienen libre acceso a las instalaciones.

found some 2,150 m up in the Puritama gorge. When Germán del Sol visited the place for the first time, the water welled up from eight springs at an average temperature of 30° C and had small clumps of Andean pampas grass (*Cortaderia atacamensis*) that contrasted with the extreme aridity of the landscape and two adobe buildings from the period of Atacama's conquest by the Incas.

The springs were enlarged and deepened, and their walls were faced with local stone, the vegetation being conserved thanks to a simple system of watering by gravity from a collecting basin in the highest part of the location that led to the growth of new masses of autochthonous grasses. The two existing buildings were restored as information and maintenance offices.

A floating wooden footbridge follows the course of the ravine and, on approaching the springs, forms little platforms jutting out over the water for the use of visitors. Two simple, white-painted volumes, which recall the vernacular buildings of San Pedro de Atacama, house the toilets and changing rooms. The local population controls and maintains the place and charges an entrance fee to the tourists, although they have free access to the installations.

Geométricas hot springs

These hot springs are at some 80 km from Pucón. To reach them it is necessary to walk from the parking area and to go through a gorge 500 m long between woods typical of Patagonia. Unlike the hot springs in Puritama, the space here is boxed in by vertical walls of rock covered in moss and

Quebrada de Puritama desde el camino que baja al lugar. Las texturas típicas del desierto contrastan con la vegetación que crece a los bordes del agua.

The Puritama ravine from the path going down to the spot. Textures typical of the desert contrast with the vegetation growing at the edges of the water.

Una piscina restaurada
de uso público frente a
los edificios, de reminiscencia inca, que albergan
las oficinas de atención
al visitante.
A restored pool for public
use opposite the Inca-in-
spired buildings housing
the offices offering ad-
vice to visitors.

Termas Geométricas

Estas termas se encuentran a unos 80 km de
Pucón entre bosques típicos de Patagonia.
Para acceder a ellas es necesario caminar
desde un área de aparcamiento y recorrer
un desfiladero de 500 m de longitud. A diferencia de las termas de Puritama, aquí el
espacio está encajado por paredes verticales
de roca cubiertas de musgo y coronadas por
cohiues (*Nothofagus dombeyii*) en un ambiente húmedo y verde mucho más cerrado.
El lugar, que pertenecía a una de las últimas haciendas madereras privadas del
Parque Nacional Villarrica, tuvo que despe-
jarse de troncos, madera caída y tierra que
habían obstruido la quebrada. Efectuados
estos trabajos, se localizaron las posiciones
exactas de los manantiales de aguas terma-

El sendero peatonal de
acceso a las piscinas
"flota" sobre el terreno.

The footpath leading to
the pools "floats" above
the terrain.

La repetición de los pe-
nachos de cola de zorro
multiplica los reflejos plateados y dorados durante
el día.

The repetition of the tufts
of Andean pampas grass
augments the silver and
gold reflections during
the day.

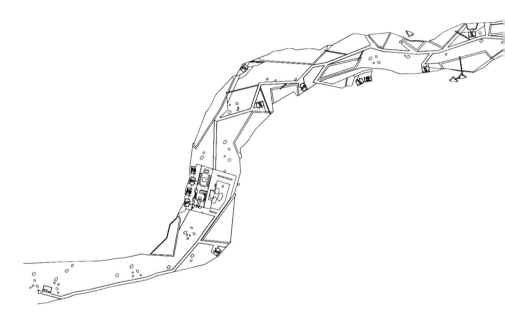

les, que manan agua a una temperatura
media de 80 °C, y se comenzó a modelar los
pozos. Este proceso que duró casi un año
contó con el asesoramiento de geólogos,
hidrólogos e ingenieros especializados.
Como en Atacama, un sendero flotante de
madera atraviesa el lugar, pero en este caso
se desarrolla en un circuito cerrado, con
entrada y salida en un mismo punto. Bajo la
plataforma, una canaleta abierta de madera

topped with Southern beeches (*Nothofagus
dombeyii*) in a humid, green environment
that is much more closed in.
The site, which belonged to one of the last
private tree-felling estates in Villarrica
National Park, had to be cleared of the
trunks, fallen wood and earth that had obstructed the ravine. Once these works were
done, the exact positions were located of
the hot springs, which pump out water at

**Planta general de las
termas Geométricas.**
General plan of the
Geométricas hot springs.

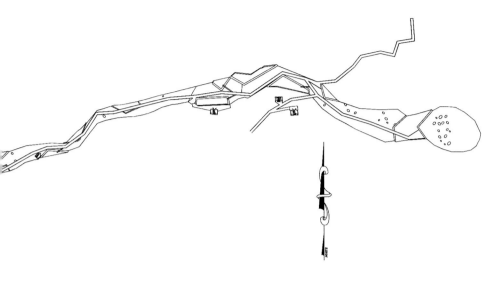

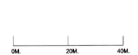

an average temperature of 80 °C, and shape
was gradually given to the wells. This
process, which took almost a year, relied on
the advice of specialised geologists, hydrolo-
gists and engineers.

As in Atacama, a floating wooden footbridge crosses the location but in this instance it extends in a closed circuit with an
entrance and exit at one same point.
Beneath the platform, an open wooden
conduit brings the thermal waters from the
springs and conducts it to five retaining
pools, where the water reposes and cools to
a temperature of between 65 and 40 °C.
From here the water passes to other pools
suitable for bathing in that are alternately
emptied every three days for cleaning.
The system is based on the Mapuche tradition of channelling water by means of con-
duits and "pipes" of wood. The value of
preservation of the local culture and nature

lleva las aguas termales procedentes de los
pozos y la deriva a cinco piscinas de retención, donde el agua reposa y se enfría a una
temperatura de entre 65 y 40 °C. Desde
estas piscinas, el agua pasa a otras aptas
para el baño que se vacían alternamente
para su limpieza cada tres días.
El sistema se basa en la tradición de los ma-
puches de canalización del agua mediante
canaletas y "tuberías" de madera. De este

Piscinas y vestidores
públicos.
Pools and public
dressing rooms.

Canaleta central por la
que corre el agua termal
procedente de los pozos y
que alimenta las piscinas
de retención, donde la
temperatura del agua baja
al entrar en contacto con
la temperatura ambiente.
Central conduit through
which there flows the hot
water from the wells
which feeds the retaining
pools, where the temper-
ature of the water goes
down upon entering into
contact with the ambient
temperature.

Recorrido peatonal entre
rocas tapizadas de mus-
gos y helechos que se
multiplicaron por el au-
mento de humedad en el
lugar.
Pedestrian route between
rocks covered in moss
and ferns that grew
abundantly because of
the increased humidity of
the spot.

Edificio de acceso a las
termas visto desde el
bosque de cohiues de la
quebrada. Las cubiertas
de tierra y césped sirven
de protección ígnea y
para atraer la luz.
Entrance building to the
hot springs seen from the
Southern beech wood of
the ravine. The roofs of
earth and grass act as
fire protection and serve
to attract light.

modo, se enfatiza el valor de preservación
de la cultura y la naturaleza local y se evitan
los problemas de limpieza, mantenimiento y
pérdidas de calor de las tuberías metálicas.
Las aguas termales que corren bajo la plataforma generan vapor y la humedad del
lugar provoca el crecimiento exuberante de
los musgos y los helechos existentes.
Unos pequeños edificios de madera, pintados del mismo color rojo que la pasarela, se
disponen a lo largo del recorrido y albergan
vestuarios y consignas. Los tejados están
cubiertos con una capa vegetal de protección ígnea que también sirven de superficies captadoras de luz dentro del desfiladero. Este recurso de captación de luz
también fue utilizada en el paisaje terroso
de las termas de Atacama mediante la profusión de las colas de zorro, con sus pena-
chos dorados y plateados según la luz que
reciben.
A pesar de los diferentes entornos paisajísticos, ambos lugares sacan provecho del agua,
la naturaleza del lugar y la cultura local: las
termas de Puritama aparecen como un oasis
en el paisaje desértico de suelos pardos y gri-
ses, donde sólo el rumor del agua interrumpe la quietud del entorno; las Geométricas,
un lugar de gran intensidad sensorial,
potencian los atributos del agua combinan-
do colores, bruma y el sonido del agua.

is therefore emphasised, and problems that
may appear by the cleaning, maintenance
and heat-loss of metal tubing are avoided.
The thermal waters that pass beneath the
platform generate steam and the humidity
of the location leads to the exuberant
growth of existing mosses and ferns.
A number of small wooden buildings, painted the same red as the footbridge, are set
out along the route and house changing
rooms and lockers. The roofs are covered
with a protective plant layer which also serves
as a light-capturing surface that harnesses
light inside. This light-harnessing resource
was also used in the earthen landscape of the
Atacama hot springs by means of the profusion of Andean pampas grass, with its tufts of
gold and silver, according to the light.
Notwithstanding their different landscape
environments, both locations benefit from
water, the nature of the place and the local
culture: the Puritama hot springs appear as
an oasis in the desert landscape of dun and
grey ground surfaces, where only the mur-
mur of the water interrupts the stillness of
the surroundings; the Geométricas ones, a
place of great sensory intensity, promote
the attributes of water by combining colour,
mist and the sound of the water.

**En primer plano: canaleta
secundaria que conduce
el agua a una de las pis-
cinas siguiendo las técnicas aborígenes.
In the foreground, a sec-
ondary conduit that pipes
the water to one of the
pools using indigenous
techniques.**

Hotel Meliá, Canal de Panamá, Colón, Panamá
Carlos Jankilevich

2000-2005

Hotel Meliá, Panama Canal, Colón, Panama
Carlos Jankilevich

2000-2005

La vegetación, el aire húmedo y la flora del trópico panameño se introducen en un lugar con historia que evoca violencia y reclusión, donde el paisaje actúa como medio de apertura y herramienta esencial de modificación.

El istmo de Panamá es una de las regiones con mayor biodiversidad del planeta, pues las diferentes especies de flora y fauna migran y pasan de una a otra parte del continente. El Canal de Panamá, único paso entre los océanos Pacífico y Atlántico, funciona como la mayor plataforma portuaria de Latinoamérica y el Caribe. Tras varios intentos frustrados llevados a cabo por otros gobiernos desde la época de la conquista española, el canal fue construido por el Gobierno de Estados Unidos en 1903 tras

The vegetation, humid atmosphere and flora of the Panamanian tropics are introduced in an historic location which evokes violence and seclusion, where the landscape acts as a means of opening and an essential tool of modification.

The Panama isthmus is one of the areas of the planet with greatest biodiversity due to the fact that the different varieties of flora and fauna migrate and pass from one part of the continent to another. The Panama Canal, the only link between the Pacific and Atlantic Ocean, functions as the biggest port surface of Latin-America and the Caribbean. After various unsuccessful attempts made by other governments ever since the Spanish conquest, the canal was built by the govern-

la firma del Tratado del Canal de Panamá.
Cuando el tratado expiró en 1999, la
República de Panamá retomó su control y
mantenimiento y llevó a cabo la recuperación de 147.000 hectáreas de terreno.
El Autoridad de la Región Interoceánica
(ARI) se hizo cargo de los terrenos devuel-
tos y decidió reservar un porcentaje considerable de los mismos a desarrollos turísticos. Ése fue el caso de las 25 hectáreas que
se vendieron a la cadena hotelera Sol Meliá
en Colón, una ciudad que se encuentra a
80 km de la capital.
La Escuela de las Américas, que ocupó estos
terrenos de 1946 a 1984 (año en que las instalaciones se trasladaron a Estados Unidos),
era una base de entrenamiento para los militares que lideraron las más oscuras dictaduras
latinoamericanas. La reconversión de usos de

Vista aérea anterior a la
renovación con las insta-
laciones militares aban-
donadas de la Escuela de
las Américas.

Aerial view prior to the
renovation of the aban-
doned military installa-
tions of the Américas
School.

Vista aérea de la península
del lago Gatún, con las viejas instalaciones de la
Escuela de las Américas
rehabilitadas para uso turístico y las nuevas marinas.

Aerial view of the Lake
Gatún peninsula with the old
installations of the Américas
School rehabilitated for tourist use and the new marinas.

ment of the United States in 1903, following the signing of the Panama Canal Treaty. When the treaty expired in 1999 the Republic of Panama took over its control and maintenance and carried out the reclamation of 147,000 hectares of land.

The Autoridad de la Región Interoceánica (Interoceanic Regional Authority or ARI) took charge of the recovered land and decided to reserve a considerable percentage of this for tourist development. This was the case with the 25 hectares sold to the Sol Meliá hotel chain in Colón, a city some 80 km from the capital.

The Américas School, which occupied this land from 1946 to 1984 (the year on which the installations were moved to the USA), was a training base for the military men who led the more obscure Latin-American dictatorships. The reconversion of use of this place with its sombre connotations not only meant reclaiming an abandoned space but also generating a new image sufficiently strong to wipe out the traces of a particularly hostile past thanks to the beauty and exuber-

este lugar de oscuras connotaciones no sólo sirvió para recuperar un espacio abandonando, sino también para generar una nueva imagen lo suficientemente fuerte como para borrar las huellas de un pasado particularmente hostil gracias a la belleza y exhuberancia del entorno natural. Situado en una península del lago Gatún, el lugar goza de unas espectaculares vistas hacia un paisaje acuático salpicado de islas tropicales. Las islas e islotes de este lago artificial son los antiguos picos

Acceso a las marinas.
Access to the marinas.

"Ventana" en el acceso al complejo desde donde se ofrece una primera vista sobre el paisaje del lago.

"Window" in the entrance to the complex from where a first view of the lake landscape is to be had.

← Zonas públicas de piscina, solárium y canchas
de deporte en el extremo
de la península. Se abrie-
ron ventanas al paisaje
acuático en la vegetación
de las orillas del lago.
Public swimming pool,
solarium and sports court
areas at the end of the
peninsula. Windows onto
the aquatic landscape
were let into the vegeta-
tion on the banks of the
lake.

→ Relación visual entre el
paisaje marco y el paisa-
je enmarcado.
Visual relationship be-
tween the framing land-
scape and the framed.

de la cordillera que existía antes de que el embalse del río Chagres inundara estas tierras para construir el canal.

Durante las casi cuatro décadas de ocupación de la Escuela de las Américas, los bordes vegetales constituían barreras visuales que impedían la relación física y el contacto visual con el paisaje circundante, por lo que, como primera acción, Carlos Jankilevich decidió abrir ventanas hacia el entorno. Se buscaron sectores de apertura hacia el exterior: conexiones peatonales desde la nueva piscina a las marinas, áreas del acceso que ofrecen una primera mirada sobre el paisaje acuático inmediato, o puntos focales de encuentro y descanso, como los cenadores desde donde poder apreciar las aperturas efectuadas.

Por otro lado, se añadieron gran cantidad de especies autóctonas, especialmente palmeras, que contrastan o acentúan las líneas principalmente horizontales de los edificios reutilizados: las palmeras reales (*Roystonia regia*) y las *Livistonia chinensis* forman grupos más verticales, mientras que palmeras cola

ance of the natural environment. Situated on a Lake Gatún peninsula, the location enjoys spectacular views towards an aquatic landscape dotted about with tropical islands. The island and islets of this artificial lake are the former peaks of the mountain range that existed before the damming process of the Río Chagres to build the canal.

During the almost four decades of the Américas School's occupation, the planted boundaries formed visual barriers that impeded a physical relationship and visual contact with the surrounding landscape, so that as his first intervention Carlos Jankilevich decided to open windows in the direction of the setting. Sectors opening onto the outside were sought: pedestrian connections from the new swimming pool to the marinas, access areas that offer a first look at the adjoining aquatic landscape or focal points of meeting and relaxation like the arbours from where to appreciate the new openings. On top of that, a huge quantity of autochthonous varieties were added, especially palm trees, which contrast or accentuate

de pescado (*Caryota mitis*) y licualas de manglar (*Licuala spinosa*) crean una imagen más horizontal.

El proyecto se limitó a renovar unas diez hectáreas y los tres edificios del complejo de la escuela cercanos a la península. La primera intervención paisajística se llevó a cabo en el año 2000, coincidiendo con las obras de rehabilitación de los edificios, y en 2005 se propuso una nueva intervención pues el mantenimiento hasta entonces no había sido el adecuado.

La imagen actual del complejo hotelero no es especialmente singular, pero sí hubo una inusual libertad en la recreación del paisaje local, reflejo de la importante presencia de la naturaleza de esta región de Panamá, y una notable labor para borrar el peso negativo de la historia de la escuela militar. En la actualidad, el complejo es visitado por turistas y en él se organizan eventos locales.

the mainly horizontal lines of the reused buildings: Florida royal palms (*Roystonia regia*) and Chinese fan palms (*Livistonia chinensis*) form more vertical groups, while fishtail palms (*Caryota mitis*) and mangrove fan palms (*Licuala spinosa*) create a more horizontal image.

The project was restricted to the renovation of ten hectares and the three buildings of the school complex near to the peninsula. The first landscape intervention was carried out in 2000, coinciding with the rehabilitation works on the buildings, and in 2005 a new intervention was proposed since maintenance up until then had been unsatisfactory. The current image of the complex is not particularly outstanding, but there was an unusual amount of freedom in the recreating of the local landscape, a reflection of the important presence of nature in this region of Panama, and a remarkable effort made to erase the negative past of the history of the military school. At present the complex is visited by tourists and local events are organised there.

Típica vegetación tropical en el área de la piscina. Typical tropical vegetation in the swimming pool area.

Contrapunto formal creado con diferentes especies de palmas autóctonas. Formal counterpoint created with different varieties of autochthonous palm trees.

Memorial del hocausto
Fernando Fabiano, Sylvia Perossio, Gastón Boero, Carlos Pellegrino
1995

Holocaust Memorial
Fernando Fabiano, Sylvia Perossio, Gastón Boero, Carlos Pellegrino
1995

Memorial de los caídos desaparecidos
Martha Kohen, Rubén Otero, Diego López de Haro, Pablo Frontini, Rafael Dodera, Mario Sagradini
2001

Memorial to the Missing Dead
Martha Kohen, Rubén Otero, Diego López de Haro, Pablo Frontini, Rafael Dodera, Mario Sagradini
2001

Montevideo, Uruguay

Montevideo, Uruguay

Dos memoriales en el paisaje cultural de Montevideo establecen lazos diferentes: el primero es un sutil gesto que se mimetiza en el paisaje y el segundo, una pieza que establece nuevas dinámicas espaciales con el entorno.

Two memorials in the cultural landscape of Montevideo establish different links: the first is a subtle gesture that blends in with the landscape and the second, a feature that establishes a new spatial dynamic with the surroundings.

Montevideo es la capital de uno de los países más pequeños de Sudamérica, pero en ella viven 1,8 millones de habitantes, la mitad de la población del país. Situada a orillas del delta del Río de la Plata, el horizonte lejano del río le otorga una identidad distintiva. La Rambla, un frente urbano que se extiende 22 km a lo largo de la bahía de Montevideo y que fue construido por el arquitecto Juan Scasso en la década de 1930, es la pieza que permite su íntima conexión con el río. Esta pieza de granito rosa se ha convertido en la

La Rambla, Montevideo, Uruguay. Paisaje emblemático de la ciudad utilizado como referencia en el proyecto de memorial del Holocausto.

The Rambla, Montevideo, Uruguay. An emblematic landscape in the city used as a reference in the design for the Holocaust Memorial.

marca de la ciudad y en su espacio público por excelencia. En voladizo sobre el agua, los habitantes de la ciudad la utilizan para pasear, observar el atardecer o pescar. Dos memoriales, que evocan diferentes hechos del pasado, rinden homenaje a la histórica relación entre la ciudad y el río: el Memorial del holocausto, construido en una zona pedregosa de la Rambla frente al estuario, y el Memorial de los caídos desaparecidos, que ocupa un claro del pinar del cerro de Montevideo con unas magníficas vistas panorámicas de la ciudad sobre el río y toda la bahía.

Memorial del holocausto

En 1993, la Comisión Judía de Montevideo reunió los fondos necesarios para la construcción de este memorial, gracias al apoyo del por entonces presidente del país Luis Alberto Lacalle. Se consiguió que el Ayuntamiento cediera un solar de su propiedad y, tras la resolución pública, se convocó un concurso nacional de proyectos. El proyecto ganador apostó por una fusión

Montevideo is the capital of one of the smallest states of South America, but in it live 1.8 M inhabitants, half of the country's population. Situated on the banks of the Río de la Plata delta, the distant horizon of the river gives it a distinctive identity. The Rambla, an urban frontage built by architect Juan Scasso in the 1930s that stretches for 22 km along the bay of Montevideo, is the element that permits its intimate connection with the river. This pink granite feature has turned into the city's trademark (so to speak) and into its public space par excellence. Jutting out over the water, the inhabitants of the city use it to stroll along, to observe the dusk or to fish from. Two memorials, which evoke different events of the past, pay homage to the historic relationship between the city and the river: the Holocaust Memorial, constructed in a rocky area of the Rambla facing the estuary, and the Memorial to the Missing Dead, which occupies a clearing in the pine wood of the Montevideo hill with magnificent panoramic views from the city of the river and the bay as a whole.

The Holocaust Memorial

In 1993 the Jewish Commission of Montevideo raised the money needed for the building of this memorial, thanks to the support of the then President of the country, Luis Alberto Lacalle. The City Council was inveigled to act with a site which belonged to it and, after the public decision, a national design competition was convoked. The winning project opted for a fusion with the historic landscape of the Rambla and the coast that, over time, guaranteed the ap-

Memorial del holocausto visto desde la Rambla. El muro de granito corre en sentido oeste-este, paralelo a la Rambla y al horizonte del Río de la Plata.

Holocaust Memorial seen from the Rambla. The granite wall runs east-west, parallel to the Rambla and to the horizon of the Río de la Plata (River Plate).

con el paisaje histórico de la Rambla y la costa que, con el tiempo, ha garantizado la apropiación del lugar por los habitantes de Montevideo y su incorporación al imaginario de la ciudad.

Un muro de contención de 120 m de longitud, con una altura variable de 30 cm en su extremo oeste a los 90 cm del este, está construido con el mismo granito rosa de la Rambla y ofrece una imagen diferente desde sus dos lados: desde la Rambla y la avenida que la bordea, el muro apaisado se adapta a la topografía del terreno y no interfiere en las vistas hacia el río; desde la costa, el muro muestra su altura real y el recorrido peatonal coincide con su dirección descendente oeste-este.

propriation of the site by the inhabitants of Montevideo and its incorporation into the imaginary of the city.

A retaining wall 120 m long, with a height varying from 30 cm at its western end to 90 cm in the east, is built from the same pink granite as the Rambla and offers a different image from its two sides: from the Rambla and the avenue skirting it, the squat wall adapts to the topography of the terrain and does not interfere in the views towards the river; from the coast the wall displays its real height and the pedestrian path coincides with its east-west descending direction.

The wall and the pedestrian walkway represent the historical process of the Jewish people divided into three allegorical spaces: a

Situado entre el perfil de la ciudad y el río, el memorial ofrece un espacio de quietud y reflexión.

Situated between the skyline of the city and the river, the memorial provides a space of quietude and reflection.

El muro y el paseo peatonal representan el proceso histórico del pueblo judío diferenciado en tres espacios alegóricos: una primera etapa de avance, el holocausto y una etapa de fortalecimiento y esperanza. El monumento arranca en un sendero descendente de piedra, una interrupción del muro y una plaza íntima que culmina con unos amplios escalones de piedra desde donde poder contemplar la ciudad a lo lejos.

En el punto de interrupción del muro el suelo también se quiebra y aparecen unas piezas conectoras de madera; la imagen de fragilidad y adireccionalidad se refuerza con las vistas generadas entre los dos muros inclinados fruto del desdoblamiento del muro principal.

Esta parte del memorial, resultado de la excavación y sutil modelado de la topografía, se hunde en el terreno y se abre hacia el río, alejándose del ruido y la vida de la Rambla y de la ciudad. La altura máxima del muro (2,3 m) se produce en su extremo, en la Plaza de la Meditación, logrando crear una buscada sensación de reclusión.

first stage of moving forward, the Holocaust and a stage of encouragement and hope. The monument starts in a descending stone path, a break in the wall and an intimate plaza which culminates in wide stone steps from where to contemplate the distant city. At the break in the wall the ground is also truncated and connecting elements of wood appear instead; the image of fragility and lack of direction is reinforced with the views generated between the two inclined walls resulting from the twinning of the main wall. This part of the memorial, a consequence of the excavation and subtle modelling of the topography, is sunk in the ground and opens towards the river, moving away from the noise and bustle of the Rambla and the city. The maximum height of the wall (2.3 m) comes about at its end in Plaza de la Meditación, thus managing to create a sought-after feeling of seclusion. The waterside is preserved in its original state, with rocks of different sizes bearing witness to the formation of the terrain.

From the coast side a certain feeling of con-

La ruptura del muro simboliza la falla en la historia de la peregrinación judía. La falta de dirección y el paisaje caótico enfatizan la idea del holocausto.

The interruption of the wall symbolises the break in the history of the Jewish Diaspora. The lack of direction and the chaotic landscape emphasise the idea of the Holocaust.

Vista desde la orilla del río. El recorrido descendente culmina en una plaza hundida al lado opuesto de las dos piezas que interrumpen el muro linear.

View from the riverbank. The descending route culminates in a sunken plaza on the opposite side of the two elements that interrupt the linear wall.

La orilla del agua se conserva en su estado original, con rocas de diferentes tamaños testigos de la formación del terreno. Desde el lado de la costa se consigue despertar cierto espíritu de recogimiento en los visitantes; mientras que desde el lado contrario de la Rambla, en especial en la explanada de césped que se extiende desde el muro, la obra se identifica claramente con la vida pública.

Memorial de los caídos desaparecidos
La idea de un memorial dedicado a los desaparecidos en el período de la dictadura de 1973-1985 surgió en 1998 dentro del marco de las conmemoraciones del 50 aniversario de la Declaración Universal de los Derechos Humanos. La Ley de Caducidad de 1986 impidió acusar y juzgar a los militares de la dictadura en Uruguay y, por ende, investigar el destino de los desaparecidos durante ese período.
En 1999 se convocó un concurso nacional de proyectos para el memorial, que fue declarado de interés nacional y se produjo un efecto muy significativo en la sociedad uruguaya, especialmente entre los familiares de los desaparecidos.
El memorial recuerda a los 156 desaparecidos oficiales; sus nombres se grabaron en dos paños paralelos de vidrio templado de

centration is awoken in visitors; while from the opposite side of the Rambla, especially on the esplanade of grass extending from the wall, the work is clearly identified with public life.

Memorial to the Missing Dead
The idea of a memorial dedicated to the missing in the period of dictatorship from 1973 to 1985 arose in 1998 within the framework of the commemorations of the 50th anniversary of the Universal Declaration of Human Rights. The 1986 Expiry Law prevented the military figures of the dictatorship in Uruguay from being accused and judged and hence the fate of the missing during that period from being investigated. In 1999 a national design competition was convoked for the memorial, which was declared to be of national interest and produced a very significant effect in Uruguayan society, especially among relatives of the missing.
The memorial recalls the 156 official missing people, their names being engraved in two parallel panes of toughened glass some 16 m long placed at a distance of 1.80 m, thus forming a ceremonial route.
At dusk, lights in the intermediary cavity of the panels' double glazing illuminate the engraved names, reflecting them on the

Croquis original del concurso.
Original competition sketch.

Memorial de los caídos desaparecidos ubicado en el claro de un pinar del cerro de Montevideo sobre roca natural.

Memorial to the Missing Dead sited on natural rock in the clearing of a pinewood on Montevideo's hill.

unos 16 m de largo colocados a una distancia de 1,80 m formando un recorrido ceremonial.

Al atardecer, unas luminarias en la cámara intermedia del doble vidrio de los paneles iluminan los nombres grabados, reflejándolos sobre el pavimento y sobre la gente que pasa por allí. Con ello se pretendía involucrar al visitante que acudiese a ver el memorial, un efecto que también se consigue de día gracias a los reflejos de la luz del sol.

Otro efecto simbólico que buscaban los autores consistía en exponer la naturaleza del lugar, como referencia a lo verdadero. Para ello, se colocó el objeto sobre una plataforma de 20 x 20 m pulida a mano en la roca del cerro.

La roca viva es la misma que florecía de forma natural en algunas partes del lugar del memorial, una zona enmarcada por los pinos del parque Vaz Ferreira en el cerro de Montevideo, uno de los parques más grandes de la ciudad. La base rocosa está delimitada con un borde de hormigón que refuerza la idea de haber "recortado" el sector exacto del memorial. El conjunto, especialmente los paneles con los nombres, se percibe como un objeto lejano desde el nivel de la costa, donde se proyectó también una pequeña zona de aparcamiento. Desde la misma, se sube por un camino pavimentado, atravesando el bosque, en una peregrinación que prepara al visitante para descubrir el memorial y la identidad de las víctimas.

pavement and on the people passing by. It has been sought thereby to involve the visitor who comes along to see the memorial, an effect that is also attained by day thanks to the reflections of the sunlight.

Another symbolic effect the designers sought consisted of displaying the nature of the area as a reference to the authentic. To that end, the object was placed on a 20 x 20-metre platform polished by hand in the rock of the hill.

The living rock is the same that flourished in natural form in some parts of the memorial location, a zone set within the pines of Parque Vaz Ferreira on Montevideo's hill, one of the city's biggest parks. The rock base, delimited by an edging of concrete, reinforces that idea of having "cut back" the right area for the memorial; the glass panes with the engraved names are perceived as a distant object from the level of the coast.

A small parking area was also planned, from which visitors ascend via a paved path that crosses the wood in a peregrination that prepares them for discovering the memorial and the identity of the victims.

El espacio interior del monumento refleja y expande el paisaje natural, pero también preserva la sensación de introspección generada con la ins-

cripción de los 156 nombres de los desaparecidos.

The monument's interior space reflects and expands the natural landscape but also preserves the sensation of introspection generated by

the inscription of the 156 names of the disappeared.

Al atardecer las lumina-
rias del monumento se
encienden automática-
mente.

At dusk the monument's
lighting comes on auto-
matically.

La luz refleja los nombres
inscritos sobre el pavi-
mento y sobre la gente
que pasa por allí.

The light reflects the inscribed names onto the
paving and the people
passing by.

Embalse de Santa Juana, valle del río Huasco
1995

Embalse de Puclaró, valle del río Elqui
2000

Chile
Carlos Martner

Santa Juana Reservoir, valley of the Río Huasco
1995

Puclaró Reservoir, valley of the Río Elqui
2000

Chile
Carlos Martner

Construidas entre montañas rocosas y valles místicos, dos obras de ingeniería ofrecen la posibilidad de caminar y observar un paisaje que acoge y que constituye una experiencia única.

Los valles de los ríos Huasco y Elqui, situados entre la cordillera de los Andes y las áreas costeras del océano Pacífico a unos 600 km al norte de Santiago de Chile, están conformados por extensas áreas agrícolas, fundamentalmente plantaciones de papayas y viñedos, con una topografía ondulada. La construcción de los embalses de Santa Juana del río Huasco y de Puclaró del Elqui fue una iniciativa del Ministerio de Obras Públicas de Chile para solucionar los problemas ocasionados por los ciclos de precipitaciones irregulares, típicas de los climas

Constructed among rocky mountains and mystic valleys, two works of engineering offer the unique experience of walking through and observing a welcoming landscape.

The valleys of the rivers Huasco and Elqui, situated between the Andes mountain range and the coastal areas of the Pacific Ocean some 600 km north of Santiago, are defined by vast areas of agriculture, basically papaya plantations and vineyards, with an undulating topography.
The building of the reservoirs of Santa Juana on the Río Huasco and of Puclaró on the Elqui was an initiative of Chile's Ministry of Public Works in order to solve the problems occasioned by the irregular cycles of rainfall, typical of semi-arid land-

semiáridos mediterráneos, que alteran perío-
dos de grave sequía con inundaciones.
Dado el alto valor paisajístico y cultural de
ambos valles, el propio ministerio decidió
aprovechar los embalses para el ocio y el
turismo trazando recorridos peatonales o
terrazas de observación.

Embalse de Santa Juana
El embalse de Santa Juana abastece de agua
a 12.000 hectáreas de regadío, además de
proveer espacios para la práctica de depor-
tes acuáticos, utilizados principalmente por
los habitantes de la región.
Este proyecto se ha centrado en las plataformas naturales de uno de los cerros que
enmarcan el embalse. La intervención más
importante consistió en colocar una serie
de puntos de observación de paisaje, a

locked climates, which suffer from alternat-
ing periods of severe drought and flooding.
Given the high landscape and cultural value
of both valleys, the actual ministry decided
to make use of the reservoirs for leisure activities and tourism by laying out footpaths
and observation terraces.

Los miradores, espacios
que acompañan la ascen-
sión al cerro, frente a la
masa de agua.
The miradors, spaces
that accompany the
ascent to the hill, facing
the body of water.

Ruinas preíncas en el
Valle Sagrado de Cuzco,
Perú. Paisajes históricos
cuyos elementos se utili-
zaron como referencia
cultural y constructiva.

Pre-Inca ruins in the Valle
Sagrado, Cuzco, Peru.
Historic landscapes
whose features were
used as a cultural and
constructional reference
in the designs.

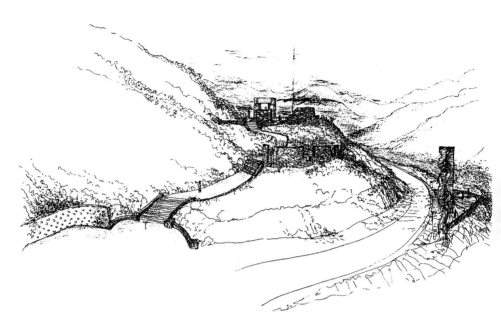

modo de ruinas locales, conectados mediante un recorrido ascendente. Desde la base
del cerro se sube por unas escalinatas construidas con la roca extraída in situ, desde
las que se accede a diferentes terrazas-mira-
dores enmarcadas por elementos de piedra
—pórticos, muretes de diferentes alturas y
perfiles, bordillos para sentarse— que dirigen las vistas sobre el embalse. La escasa
vegetación, básicamente de cactáceas, ya
existía en el lugar.

La experiencia se limita al acto de ir ascen-
diendo y observando la obra de ingeniería y
el paisaje circundante desde diferentes puntos. Desde el embalse mismo, la intervención paisajística aparece emergiendo natu-
ralmente desde la superficie rocosa del
cerro como un conjunto arquitectónico de
reminiscencia aborigen.

Santa Juana Reservoir

Santa Juana Reservoir supplies 12,000
hectares with water for irrigation, as well as
providing spaces for the practice of water
sports, mainly used by the inhabitants of the
region.

This project has concentrated on the natural platforms of one of the hills that surround the reservoir. The most important intervention consisted of placing a series of
landscape observation points, akin to local
ruins, connected by an ascending route.
One ascends from the bottom of the hill to
different terrace-vantage points framed by
stone features—porticos, low walls of varying heights and shapes, kerbs for sitting
on—which direct the views of the reservoir.
The scant vegetation, basically of cacti, already existed in the setting.

**Croquis del conjunto que
representa la idea de
ruina en la roca.**

Sketch of the complex
depicting the idea of a
ruin in the rock.

Plataformas de observación enmarcadas con piezas de piedra del embalse de Santa Juana.
Observation platforms at Santa Juana Reservoir framed with stone features.

Vegetación existente conservada.
Existing vegetation that has been conserved.

Pórtico de piedra.
Stone portico.

Embalse de Puclaró

El Embalse de Puclaró abastece de agua a
20.700 hectáreas de regadío; posee una
altura de 80 metros, y una longitud de coronación de 595 metros. Este espacio linear
se diseñó para uso público como parte de
las atracciones turísticas del Valle del Elqui.
Se interviene de una manera sencilla y
extremadamente respetuosa en el entorno

The experience is restricted to the act of
ascending and observing the work of engineering and the surrounding landscape
from different points. From the reservoir
itself, the landscape intervention appears
to emerge naturally from the rocky surface
of the hill as an architectonic entity with
indigenous echoes.

La coronación del embal-
se de Puclaró sirve como
paseo peatonal entre la
masa de agua y los ver-
des valles. La sucesión

de tótems mitiga visual-
mente la escala del lugar.

The upper reaches of
Puclaró Reservoir serve
as a footpath between
the body of water and the
green valleys. The series

of totems visually miti-
gates the scale of the
place.

**Rosetones de piedra en el
pavimento con referencias
a motivos aborígenes.**
Stone rosettes in the
paving with references to
indigenous motifs.

**Construidas en piedra
local, los tótems se integran en el entorno.**
Built of local stone, the
totems are integrated
with the surroundings.

natural con referencias culturales a los grupos aborígenes. Un curso peatonal por el espectacular paisaje, la base conceptual del proyecto, recorre toda la longitud del embalse, que tiene una anchura máxima de 9 m, dejando a un lado la masa de agua enmarcada por las montañas y al otro los verdes valles del cauce del río.

Paradójicamente, la inmensidad del paisaje se transforma en la mayor dificultad para garantizar una amable experiencia del lugar.

La recuperación de la escala humana es de vital importancia y se ha logrado mediante la incorporación de un elemento vertical, un tótem de proporciones áureas, repetido a intervalos de 15 m en el lado del valle; al otro lado, una barandilla permite unas vistas limpias sobre el embalse.

El tótem es un volumen prismático de base cuadrada, de un metro de lado y con una altura de dos metros, con un remate que alberga las luminarias. Construido con una estructura de acero para soportar el empuje de los

Puclaró Reservoir

This reservoir, which supplies 20,700 hectares with irrigation water, has a height of 80 m and a length at its crown of 595 m. This linear public space forms one of the tourist attractions of the valley of the Río Elqui.

The intervention in the natural environment has been carried out in a simple and extremely respectful way, with cultural references to indigenous groups. A pedestrian route through the spectacular landscape, the conceptual basis of the project, proceeds along the entire length of the reservoir. This route has a maximum width of 9 m, with the mass of water framed by the mountains on one side and the green valleys of the riverbed on the other.

Paradoxically, the immensity of the landscape becomes the major problem when it comes to guaranteeing an amiable experience of the location.

The recovery of human scale is of vital importance and has been arrived at through

Límites de la zona de aparcamiento que repiten los perfiles de los cerros.

The edges of the parking area which repeat the profile of the hills.

fuertes vientos de la zona, el tótem está reves-
tido de piedra local con mortero de barro,
rememorando así las técnicas constructivas
de los indios diaguitas originarios de estas
tierras del norte de Chile y de Argentina.
El ritmo de los tótems se alterna con unos
pilares bajos de la mitad de altura.
Coincidiendo con algunos tótems, se han
construido algunos rosetones de piedra en
el suelo que hacen referencia a la cultura
diaguita.
En la aproximación al paseo desde la zona
de aparcamientos, la sucesión de elementos
verticales de piedra se funde con la superficie pedregosa de la pared del embalse
creando un lenguaje visual común; al mismo
tiempo, el ritmo de los tótems acorta visualmente la longitud del coronamiento. En el
recorrido, la atención del observador pasa
del grupo a la pieza, devolviendo así la escala humana a la dinámica del trayecto.

the incorporation of a vertical feature, a
totem based on the golden section, repeat-
ed at intervals of 15 m on the valley side; on
the other side, a handrail permits direct
views of the reservoir.
The totem is a prismatic volume with a
square base, each side being one metre
long and with a height of two metres, with
a top containing the lighting. Built with a
steel frame to resist the force of the strong
winds in the area, the totem is faced in local
stone with mud mortar, thus evoking the
building techniques of the Diaguita Indians
who first settled these lands in the north of
Chile and Argentina.
The rhythm of the totems alternates with
low pillars half their height. Coinciding
with some of the totems, stone rosettes al-
luding to Daiguita culture have been built
in the ground.
In the approach to the walkway from the
parking area, the succession of vertical
stone features blends in with the stony surface of the wall of the reservoir to create a
common visual language; at the same time
the rhythm of the totems visually reduces
the length of the crown. While walking the
walkway, the observer's attention shifts from
the group to the individual element, thus
restoring the human scale to the dynamic
of the route.

Proyectos residenciales privados
Private residential projects

Con independencia de su escala, históricamente los proyectos residenciales privados han sido los más usuales en la arquitectura del paisaje y han originado la integración del paisaje natural y la vegetación con la arquitectura.

Tanto los jardines históricos como los modernos (cuyos elementos y conceptos se
utilizan actualmente redefinidos desde un compromiso más activo con el medio
ambiente y la conservación de los paisajes locales), han establecido modelos de diá-
logo e interacción entre las artes de su tiempo y el entorno natural.

El paisaje natural en Latinoamérica genera una actitud casi automática de respeto y
reverencia por la imponencia de su presencia estética única. A este valor cabría añadir el de la diversidad biológica y cultural, que garantiza una respuesta acorde con
las necesidades actuales. La comprensión de esta suma de valores caracteriza a
ciertos creadores latinoamericanos, quienes en sus proyectos privados establecen
unos lazos íntimos y responsables con el paisaje local.

Independently of their size, private residential projects have, historically speaking,
been the more usual in landscape architecture and have given rise to the integration
of natural landscape and vegetation with architecture.

Both historic and modern gardens (whose elements and concepts are currently being
redefined in terms of a more active commitment to the environment and the conservation of local landscapes) have established models of dialogue and interaction between the arts of their time and the natural surroundings.

The natural landscape in Latin America generates an almost automatic attitude of respect and reverence for the grandeur of its unique aesthetic presence. To this value
there may be added that of its biological and cultural diversity, which guarantees a
response in tune with current needs. The understanding of the sum of these values
characterises certain Latin-American creators, who in their private projects establish
intimate and responsible links with the local landscape.

Casa en el lugar arqueológico de Malinalco, México
Mario Schjetnan

1985-2006

House in the archaeological site of Malinalco, Mexico
Mario Schjetnan

1985-2006

La casa en Malinalco es un refugio que integra de manera espontánea la naturaleza e historia de un pueblo. La construcción crece y se conforma con el tiempo haciéndose eco de las especies autóctonas.

The house in Malinalco is a refuge that spontaneously integrates the nature and history of a village. The building grows and adapts with time by echoing autochthonous varieties.

Malinalco es un pueblo situado a 1.800 m sobre el nivel del mar, a unas dos horas en coche de Ciudad de México. Los aztecas escogieron esta parte alta del valle de Malinalco para levantar una ciudadela militar; su posición estratégica hizo especialmente dificultosa la conquista de esta región por los españoles, quienes finalmente colonizaron la zona construyendo un importante convento agustino, una catedral y ocho iglesias que diferencian ocho barrios. Las ruinas aztecas, que incluyen una pirámi-

Pirámides aztecas en Teotihuacán, México. Técnicas ornamentales con piedra utilizadas como referencia en el proyecto.

Aztec pyramids in Teotihuacán, Mexico. Ornamental techniques with stone used as a reference in the design of Malinalco.

de esculpida en la roca, son visitables y desde el punto más alto del lugar que ocupaba el templo puede observarse todo el pueblo entre la vegetación subtropical típica del valle. Malinalco proviene del nahuatl *malinali*, que significa hierba o zacate, y de *xochtl*, flor; también puede traducirse como lugar de Malinalxochtl, sacerdotisa fundadora del pueblo.

Situada en un terreno de 50 x 25 m, parte de una antigua huerta, la casa toma elemen-

Malinalco is a village 1,800 m above sea level and two hours from Mexico City by car. The Aztecs chose the upper reaches of Malinalco Valley to erect a military fort; its strategic position made the conquest of this region by the Spaniards especially difficult, with the latter finally colonising the area by building an important Augustinian monastery, a cathedral and eight churches that differentiate eight *barrios*.

The Aztec ruins, which include a pyramid

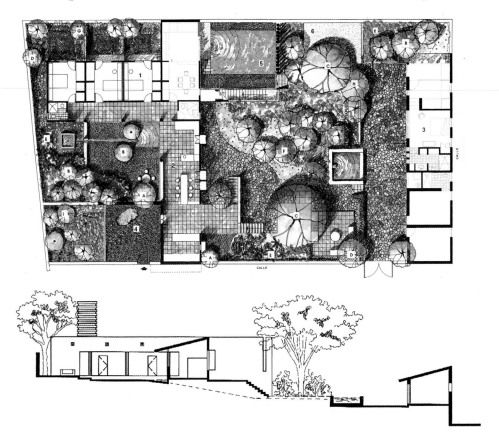

Planta y sección del solar, con las caballerizas rehabilitadas en la parte inferior del terreno.

Plan and section of the site, with the rehabilitated stables in the lower part of the terrain.

tos de la tradición mexicana y de las técnicas constructivas precolombinas. El desnivel del terreno es de unos 4,5 m en el lado más largo del solar. El acceso, que en origen se colocaba en la parte más alta que ocupa la casa, se acabó colocando en la parte más baja con conexión directa con la calle, con una zona de aparcamiento abierta con pavimento de piedra. En uno de los laterales de cierre del solar había unas viejas caballerizas que se restauraron para alojar las habitaciones de los guardeses y una *suite* adicional. Con una fachada tradicional de piedra, este edificio de líneas simples contrasta con las formas y colores intensos de la vegetación y la casa principal.

En el jardín central se conservaron los árboles añejos de la huerta original, que arrojan sombra y llenan de perfumes el aire. La verticalidad de los grandes troncos de guayabo *(Psidium guajava)*, ciruelo africano (*Prunus africanum*), guaje *(Leucaena leucocephala)*, colorín *(Erythrina americana)* y aguacate (*Persea americana)* se equilibra con las plantaciones horizontales, casi como un sotobosque, de óptimo crecimiento debido a las condiciones climáticas locales. El espacio se complementa con grupos de helechos, monsteras y philodendros, que conforman una masa homogénea de sombra; al borde de los senderos y en los espacios abiertos se han plantado cubresuelos y matas de flores bajas.

Las macetas de barro alineadas en algunos bordes o agrupadas por sectores reafirman el sabor popular de la casa y el jardín, y se completan con las texturas y los colores de orquídeas y plantaciones de suculentas.

El uso del color desempeña un importante papel en la casa, como el típico rosa mexica-

carved in the rock, are visitable and from the highest point in the place, which the temple occupied, the entire village can be observed among the subtropical vegetation typical of the valley. Malinalco comes from the Nahuatl word *malinali*, which means grass or hay, and from *xochtl*, flower; it can also be translated as the place of Malinalxochtl, the priestess who founded the village.

Situated on a piece of land 50 x 25 m in size, part of a former orchard, the house takes elements from Mexican tradition and from pre-Columbian building techniques. The change in ground level is some 4.5 m on the plot's longest side. The entrance, which was originally sited in the highest part, which the house occupies, was finally located in the lowest, with a direct connection to the street and an open parking area with stone paving. On one of the closed-off sides of the plot were some old stables that were restored in order to accommodate the gatekeepers' rooms and an extra suite. With its traditional facade of stone, this building and its simple lines contrasts with the intense shapes and colours of the vegetation and the main house.

Conserved in the central garden are the mature trees of the original allotment, which provide shade and fill the air with pleasant smells. The verticality of the great trunks of the guavas *(Psidium guajava)*, African pygeums (*Prunus africanum*), edge acacias (*Leucaena leucocephala*), coral trees (*Erythrina americana*) and avocados (*Persea americana)* is balanced by the horizontal plantings—an undergrowth, almost—of optimum growth due to local climatic conditions. The space is complemented by

no, una recomendación de Luis Barragán, amigo de la familia, quien sólo pudo ver la casa en fotos, pues no pudo desplazarse hasta el lugar debido a su avanzada edad. Inspirado en la aplicación poco convencional del color de Barragán, Mario Schjetnan utilizó ese mismo tono en superficies enteras, como las fachadas exteriores de la casa, o, bien lo aplicó puntualmente en algunos elementos para que contrastara con otro

groups of ferns, Mexican breadfruits and philodendrons, which form an homogeneous mass of shadow; at the edge of the pathways and in the open spaces ground-covering varieties and low, flowering shrubs have been planted.

The clay flowerpots aligned in some borders or grouped in sections reaffirm the popular taste of the house and its garden and are complemented by the textures and

Jardín principal de la casa con especies subtropicales típicas del microclima del valle de Malinalco.

The house's main garden with subtropical varieties typical of the microclimate of the valley of Malinalco.

El acceso principal a la casa combina cactus, plantas suculentas, bromelias y trepadoras.
The main entrance to the house combines cacti, succulents, air plants and climbers.

Las líneas puras de la arquitectura contrastan con las formas orgánicas de la plantación.
The pure lines of the architecture contrast with the organic forms of the planting.

color intenso. En la fachada principal, pintada de amarillo, destacan los marcos rosas que sobresalen de las ventanas, y las dos caras del plano que sobresale perpendicular a esta fachada son de distinto color. Sobre la cara rosa se apoya una escalera hacia la azotea con los escalones pintados de amarillo. El color se pone doblemente de manifiesto mediante el refuerzo visual de la vegetación: grupos de buganvillas acompañan y potencian con sus tonos rosados y púrpuras el color del edificio, junto a las gamas de verde de las especies tropicales y de los típicos cactus mexicanos.

La planta en L de la casa se cierra sobre un patio, más privado que el jardín central, donde vierten las zonas comunes del edificio que ocupan el brazo largo. Los dormitorios, alineados en el otro brazo de la L, dan a una galería abierta y todos disponen de un pequeño patio intimista al otro lado, con arbustos y enredaderas tropicales. La casa se vuelca sobre esos espacios abiertos de diferente tamaño y distintos grados de privacidad. Recientemente, se cubrió y renovó el último patio privado contiguo al volumen de partes comunes, para convertirlo en una sala de estar familiar. Junto al ventanal de esta sala, sobre el jardín, se construyó un nuevo estanque rodeado de cactus "órganos" (*Pachycereus marginatus*), el cactus más típico de México. La presencia del agua es también significativa: los estanques o algunas deprimidas recogen el agua de lluvia y la desvían mediante sutiles canales en el suelo, en una clara referencia al sistema tradicional de riego que recuerda a las imágenes más emblemáticas de la arquitectura, el paisaje local y la historia de México.

colours of orchids and succulents. Colour plays an important role in the house, as in the use of the typical pink of Mexico recommended by Luis Barragán, a friend of the family who was only able to see the house in photos since he couldn't come in person due to his advanced age. Inspired by Barragán's rather unconventional use of colour, Mario Schjetnan utilised that same tone over whole areas like the exterior facades of the house, or applied it instead on a few individual features to form a contrast with another intense colour. On the pink facade there is a stairway going up to the flat roof with the steps painted in yellow. Colour becomes doubly evident via the visual reinforcement of the vegetation: with their pinkish and purplish tones, clumps of bougainvilleas blend with and enhance the colour of the building, along with the range of greens of the tropical plants and the typical Mexican cacti.

The house's L-shaped ground plan wraps part of the way around a courtyard, more private than the central garden, with the communal areas occupying the long arm. The bedrooms, aligned in the other arm of the L, give onto an open gallery and all have a small, intimate patio on the other side, with bushes and tropical climbing plants. The house looks out over these open spaces of varying size and differing degrees of privacy.

Recently, the last patio next to the communal areas was roofed over and renovated to become a family lounge. Outside this lounge's picture window, over the garden, a new pond was constructed and framed by Mexico's most typical cactus, the organ pipe

**Nuevo estanque frente a
la última ampliación de la
casa.**
New pool infront of the
most recent extension of
the house.

(*Pachycereus marginatus*). The presence of
water is also significant: the pool and a few
sunken basins collect the rainwater and
redirect it by means of subtle channels in
the ground in a clear reference to the traditional irrigation system, recalling the more
emblematic images of the architecture,
local landscape and history of Mexico.

Dos casas en la costa del Pacífico, Chile
Juan Grimm

Los Vilos 1996
Zapallar 2002

Two houses on the Pacific coast, Chile
Juan Grimm

Los Vilos 1996
Zapallar 2002

En un mismo contexto de la costa chilena, un lugar de una belleza y una escala imponentes, dos edificios formalmente distintos encuentran sus propios modos de integrarse en el paisaje aparentemente sin esfuerzo; conservan elementos preexistentes, se gradúa la vegetación y las vistas fluyen.

Zapallar y Los Vilos son dos exclusivos lugares de veraneo de la costa chilena, situados a 150 y 210 km al norte de la capital respectivamente. Ambos se caracterizan por un paisaje rocoso de acantilados sobre el océano Pacífico, con unos atardeceres espectaculares y una vegetación baja típica de los hábitats costeros.
Las vistas hacia el océano es un elemento básico de los proyectos, junto con un uso

In the one setting on the Chilean coast, a spot of impressive beauty and size, two formally different buildings find their own ways of integrating with the landscape, seemingly without effort; they retain pre-existing features, the vegetation is graduated and the views open out.

Zapallar and Los Vilos are two exclusive summer holiday places on the Chilean coast respectively 150 and 210 kilometres north of the capital. Both are characterised by a rocky landscape of cliffs above the Pacific Ocean, with spectacular sunsets and the low vegetation typical of coastal habitats.
The ocean view is a basic feature of the designs, along with an almost exclusive use of autochthonous plants and a sought-after

Jardín occidental de la casa de Zapallar que acompaña a los desniveles del terreno hasta los acantilados rocosos. La quebrada se conservó por debajo del edificio.
West garden of the house in Zapallar that descends the slope of the terrain to the rocky cliffs. The ravine is preserved beneath the building.

Plano de emplazamiento de Zapallar.
Plan of the siting of Zapallar.

La piscina sigue las líneas horizontales predominantes en la arquitectura.
The swimming pool follows the horizontal lines predominating in the architecture.

casi exclusivo de plantas autóctonas y un buscado equilibrio entre el paisaje existente y el proyectado.

Aunque ambas casas son miradores sobre el paisaje, cada una de ellas se ubica de modo diferente: la casa más grande en Zapallar, a modo de puente sobre una quebrada; y la de Los Vilos casi esculpida, como surgiendo de la roca.

En los trabajos de preparación del terreno de la casa de Zapallar, Juan Grimm decidió cercar la quebrada que atraviesa el solar en dirección este-oeste para conservar el curso natural del agua y la vegetación original de sus bordes. La casa, obra del arquitecto

balance between the existing and the designed landscape.

Although both houses are miradors over the landscape, each one of them is sited in a different way: the larger house in Zapallar as a bridge over a ravine; and the almost sculpted one in Los Vilos surging forth from the rock. During the work preparing the terrain of the house in Zapallar, Juan Grimm decided to fence off the ravine crossing the land in an east-west direction in order to conserve the natural watercourse and the original vegetation of its banks. The house, by the architect Borja Huidobro, is a 50-metre-long horizontal construction placed perpendicu-

Borja Huidobro, es un volumen horizontal de 50 m de longitud colocado perpendicular al agua que sigue corriendo bajo la casa. La gran escala de la casa hace que queden bien diferenciados sus espacios delanteros y traseros: un jardín de acceso "manicurado" al este y un paisaje agreste frente al mar, al oeste. El acceso al solar se realiza por un camino rodado de piedra que baja hasta el volumen del garaje, de modo que la casa queda a un nivel mucho más bajo garantizando una mayor privacidad, reforzada también con una hilera de *Cupressus macrocarpa* que bordea el camino.

El jardín de acceso está conformado por

lar to the water that continues to flow beneath the house.

The large size of the house means that its front and rear spaces are well differentiated: a "manicured" entrance garden to the east and a wild landscape facing the sea to the west.

Access to the plot of land is via a stone driveway which descends to the garage buildings in such a way that the house remains at a much lower level, thus guaranteeing greater privacy, which is also reinforced by a row of Monterey cypresses (*Cupressus macrocarpa*) flanking the path.

The entrance garden consists of a mass of

una masa de arbustos de formas compactas que acompañan la bajada del terreno desde la zona de aparcamiento hasta la entrada principal. Unas losas flotantes escalonadas de hormigón blanco son la única nota que interrumpe la amplia profusión de verdes. Al lado poniente de la casa, el paisaje rocoso se contrarresta por la presencia de maytenes (*Maytenius chilensis*), pimenteros (*Schinus latifolius*) y peumos (*Cryptocaria alba*), especies autóctonas que existían en el lugar y que fueron restauradas o añadidas después de la obra. Una escalinata de piedra, flanqueada por un bosquecillo de maytenes, baja por un lateral de la casa hacia el acantilado, hasta una pequeña playa de arena creada para uso de los propietarios. La roca cobra más presencia visual y la vegetación desaparece a medida que nos alejamos de la casa y nos aproximamos al borde del mar.

La piscina acompaña las preponderantes líneas horizontales de la casa; desde su solárium, el borde del agua se funde con el océano en el horizonte.

La casa de Los Vilos se sitúa en una bahía más cerrada. Para acceder a ella se debe recorrer un largo camino que va desde la carretera hasta la entrada al solar; el camino rodado que lleva al garaje está separado visualmente del área de la casa por un plano vertical de piedra. Desde este punto puede divisarse el océano de frente y, lateralmente, la casa coronando una parte alta en el paisaje.

La entrada principal se elevó, aprovechando el desnivel del acantilado, por encima de la zona de acceso, a la que se llega atravesando un jardín de arbustos perennes, un

bushes of compact shape that accompany the sloping ground from the parking area to the main door. A few loose stepped slabs of white concrete are the only note interrupting the ample profusion of greens. On the west side of the house the rocky landscape is offset by the presence of maytens (*Maytenius chilensis*), pepper trees (*Schinus latifolius*) and peumos (*Cryptocaria alba*), autochthonous varieties that existed in the area and were restored or added after the building work. A flight of stone steps flanked by a copse of maytens descends next to one side of the house towards the cliff, to a small sandy beach created for the owners' use. The rock assumes more of a visual presence and the vegetation disappears as we get further from the house and approach the edge of the sea.

The swimming pool accompanies the preponderant horizontal lines of the house; from its solarium the edge of the water blends with the ocean on the horizon.

The house in Los Vilos is situated in a more landlocked bay. To get to it, one must tread a long path that goes from the road to the entrance of the plot; the driveway leading to the garage is visually separated from the house's area by a vertical plane of stone. From this point, the ocean can be made out directly ahead, and to one side the house atop a rise in the landscape.

By taking advantage of the slope of the cliff, the main entrance was raised above the access area, which one reaches by crossing a garden of perennial shrubs, a mantle or green cascade that was the project's only heavily planted area, since it possesses sufficient humidity not to need watering. The

**Plano de emplazamiento
de Los Vilos.**
Plan of the siting of
Los Vilos.

manto o cascada verde que fue la única zona profusamente plantada del proyecto, pues dispone de la suficiente humedad como para no necesitar riego. La fachada que da sobre este espacio se cubrió de parthenocissus y da sensación de que la casa emerge del propio jardín. Un segundo plano de piedra divide las zonas privadas y las comunes que miran al océano.

Unos escalones rústicos en el lateral de casa y entre la plantación bajan al acantilado y permiten observar la disminución y el cambio de la vegetación. Entre la roca predominante aparecen especies autóctonas, como Bacharis o *Puya chilensis*, propias de este tipo de paisajes expuestos; por otro lado, la casa parece emerger de la roca.

Volviendo a subir y acercándonos al jardín de acceso, la plantación enmarca las escale-

facade which gives onto this space was covered with Boston ivy and gives the feeling that the house emerges from the garden itself. A second plane of stone divides the private areas and the communal ones that look towards the ocean.

Some rustic steps at the side of the house and between the plantings descend to the cliff and enable the diminution and change of the vegetation to be seen. Appearing between the predominant rock are autochthonous varieties like *Bacharis* or *Puya chilensis*, typical of these kinds of exposed landscapes; on the other side, the house seems to emerge from the rock.

Ascending once again and approaching the entrance garden, the plantings frame the steps and the swimming pool area; situated six metres below the house, its circular

Acceso a la casa en Los Vilos, situada en lo alto de un acantilado con vegetación exclusivamente arbustiva.

Driveway to the house in Los Vilos, situated at the top of a cliff with exclusively shrub-like vegetation.

Sobre el acantilado, la vegetación se limita a especies autóctonas que se fusionan con el paisaje.

Above the cliff, the vegetation is limited to autochthonous varieties that fuse with the landscape.

ras y la zona de la piscina; situada a unos 6 m por debajo de la casa, su forma circular recuerda a la piscina natural que hay unos metros más abajo.

El arquitecto paisajista, también el arquitecto de la casa, dio prioridad al encuadre de las vistas desde los mejores puntos, bien a través de elementos arquitectónicos que enmarcan el paisaje lejano, o bien creando diversos planos con grupos monocromáticos de plantas y arbustos que contrastan con los tonos del paisaje natural.

shape recalls the natural pool that exists a few metres below.

The landscape architect, who was the house architect too, gave priority to the framing of the views from the best spots, either through architectural elements which frame the distant landscape or by creating different planes with monochromatic groups of plants and shrubs that contrast with the tones of the natural landscape.

El verde se hace más ralo, hasta desaparecer, para dejar paso a la roca y al paisaje marítimo.

The greenery becomes sparser until disappearing altogether, making way for the rock and the maritime landscape.

La piscina circular se enmarca con una superficie arbustiva.

The round swimming pool is framed by an area of shrubs.

Hacienda en una zona rural, Estado de São Paulo, Brasil
Fernando Chacel

2003-2004

Country estate, State of São Paulo, Brazil
Fernando Chacel

2003-2004

En un paisaje agrario de inmensas pro- porciones, la arquitectura residencial se acomoda con unas proporciones seme- jantes: una sucesión de bosques y jardi- nes, de espacios fluidos, con una gra- dación de escalas, formas y colores, cuya restauración botánica materializa la base ecológica de su planteamiento.

In an agrarian landscape of immense proportions, residential architecture complies by taking on a similar size: a succession of woods and gardens, of fluid spaces, with a gradation of scales, forms and colours, whose botanical restoration gives material form to the ecological basis of its approach.

Plantíos de naranjos en el Estado de São Paulo, Brasil. Paisaje de produc- ción, patrón visual y refe- rencia cultural que en- marca el proyecto de la hacienda rural.

Plantings of orange trees in São Paulo State, Brazil. Landscape of production, visual model and cultural reference which frames the project for the coun- try estate.

Vista aérea del conjunto. Aerial view of the com- plex.

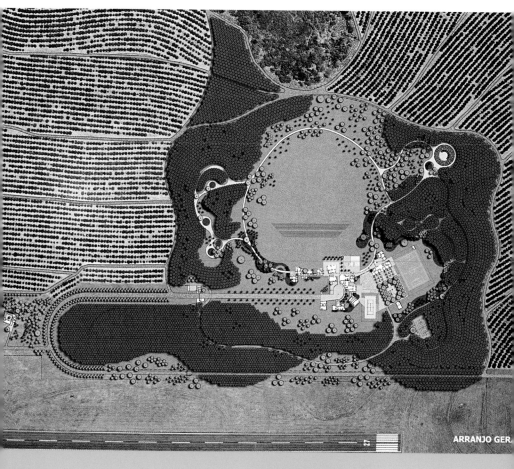

ARRANJO GER.

Acercamiento al área tratada cuyos bordes fueron modelados de acuerdo a la topografía existente. En la esquina oeste, la nueva pieza conecta botánicamente la zona de intervención con la *mata* atlántica.

Approaching the treated area, whose edges were modelled in accordance with the existing topography. In the west corner, the new element botanically connects the area of intervention and the Atlantic Forest.

Luego de la crisis de 1929, la región agraria del Estado de São Paulo decidió combinar el anteriormente hegemónico cultivo de café con grandes plantaciones de naranjos. En la actualidad, el cultivo de naranjos es uno de las más importantes de Brasil, dando lugar a uno de los paisajes más representativos y visualmente espectaculares del país. Las interminables hileras de naranjos en terrenos ondulados, que facilitan el drenaje, constituyen una imagen icónica en lugares de una escala inmensa.

A unas tres horas en coche al noroeste de São Paulo, esta hacienda de 17.000 hectáreas de naranjos está rodeada de *mata* atlántica. La *mata* atlántica ocupaba un 12 % de la superficie de Brasil antes de la colonización europea y representaba, junto con la selva amazónica, el ecosistema con mayor diversidad de fauna y flora del planeta.

Actualmente la *mata* atlántica sólo ocupa un 4 % de la superficie del país, un ecosistema que en 1992 fue declarado Reserva de la Biosfera dentro del programa El Hombre y la Biosfera de la Unesco.

En este frágil y complejo contexto, Fernando Chacel se encargó del proyecto de paisaje de una nueva hacienda, cuya casa construyó Ricardo Legorreta, responsable también de la elección del lugar en una superficie de 500 x 500 m acorde con la escala del entorno; la superficie de la vivienda es de 4.000 m², y todo el conjunto, con sus patios, accesos, garajes y pistas deportivas, ocupa casi 2,5 hectáreas.

La vegetación del lote de 250.000 m² había sido completamente limpiada siguiendo la dura geometría establecida por los arquitectos; frente a esta situación, Chachel decidió

Following the 1929 crisis, the farming region of the State of São Paulo decided to combine the hitherto hegemonic cultivation of coffee beans with huge plantations of orange trees. Today, the production of oranges is among the most important in Brazil, giving rise to one of the country's most representative and visually spectacular landscapes. The endless rows of orange trees on rolling terrain, which aids drainage, constitute an iconic image in locations of an immense size.

Some three hours by car to the northwest of São Paulo, this 17,000-hectare orange *fazenda* is surrounded by Atlantic forest. The Atlantic Forest occupied 12% of the surface area of Brazil prior to European colonisation and represented, together with the Amazon jungle, the ecosystem with the planet's greatest diversity of fauna and flora.

Today, the Atlantic Forest only occupies some 4% of the country's surface area, an ecosystem that was designated a World Biosphere Reserve in 1992 as part of UNESCO's Programme on Man and the Biosphere.

Más allá de los jardines existen unas interminables plantaciones de naranjos y la *mata* atlántica.

Beyond the gardens are endless plantations of orange trees and the Atlantic Forest.

El desarrollo horizontal del conjunto construido se enmarca con mantos vegetales monocromáticos.

The horizontal development of the built whole is framed by monochromatic blankets of vegetation.

Uno de los jardines de "prearquitectura" con especies florales, bromelias y otras especies coloridas bajo los grupos de palmas.

One of the "pre-architecture" gardens with flowering varieties, air plants and other brightly coloured varieties beneath the groups of palm trees.

recomponer y mitigar los bordes respetando la topografía existente y replantando naranjos en todo el perímetro.

Esta operación de restauración del paisaje fue complementada con la reconexión de la zona tratada con los restos de *mata* atlántica que quedaban al oeste de la finca, añadiendo una plantación de sus especies más representativas, a modo de pieza conectora. Restablecer los hábitats naturales y las asociaciones biológicas que se originan en ellos es parte de un proceso de ecogénesis que

Desde los espacios exteriores de la casa, las vistas se dirigen al paisaje conformado.

From the exterior spaces of the house, the views are directed towards the configured landscape.

In this fragile and complex context Fernando Chacel took over the landscape design of a new *fazenda*, the house of which was constructed by Ricardo Legorreta, also the person in charge of choosing the site in an area of 500 x 500 m according with the scale of the surroundings; the surface area of the accommodation is 4,000 m², and the whole entity, with its courtyards, driveways, garages and sports courts, occupies almost 2.5 hectares. First, the vegetation was cut back according to the strict geometry the architects established. Faced with this, Chacel decided to reconstitute and modify the borders by respecting the existing topography and replanting orange trees all along the perimeter.

Chacel viene explorando y desarrollando desde la década de 1970 como respuesta a los daños causados por la acción humana sobre el paisaje. La especies plantadas en esta pieza se basaron en un inventario floral de la Mata da Virginia de Adriana de Fátima Rozza.[1]

El proyecto diferencia tres tipos de espacios: el bosque selvático, el parque y los jardines de prearquitectura. El bosque selvático contiene y conecta el paisaje del borde (los restos de *mata*) con especies estrictamente autóctonas de alto significado botánico y cultural; el parque es un espacio intermedio donde se han plantado algunas especies foráneas, pero ya adaptadas en el Estado de São Paulo; y los jardines de prearquitectura, los espacios más íntimos de la hacienda, están compuestos por arbustos, herbáceas y flores autóctonas, junto a otras plantas adaptadas.

Para la elección de las especies del bosque selvático se utilizó el inventario de Adriana de Fátima Rozza. Las plantas llamadas "pioneras" —tabebuias, erythrinas y jacarandaes— son especies que crecen más rápidamente y crean espacios sombríos con rapidez, por lo que se plantaron con profu-

This restoration operation was completed with the reconnection of the treated area with the remains of the Atlantic forest located west of the property by adding a plantation, of its more representative species as a connecting element. Re-establishing natural habitats and the biological associations that originate in them is part of a process of ecogenesis that Chacel has been exploring and developing since the 1970s as a response to damage caused by human action on the landscape. The varieties planted in this element were based on a floral inventory of the Mata da Virginia by Adriana de Fátima Rozza.[1]

The project differentiates three types of spaces: woodland, park and pre-architecture gardens. The woodland contains and connects the edge landscape (the remains of Atlantic Forest) with strictly autochthonous varieties of great botanic and cultural significance; the park is an intermediate space where a few foreign varieties have been

Unas piezas lineales de piedra marcan el sutil desnivel de la zona posterior de la casa abriéndose al paisaje circundante.

A number of linear stone elements mark the subtle change of level of the area behind the house opening on to the surrounding landscape.

[1] Tesis presentada en el Instituto de Biología de la Universidade Estadual de Campinas (1997).

[1] Thesis presented in the Universidade Estadual de Campinas's Institute of Biology (1997).

sión; por otro lado, las especies "secundarias" —eugenias y casearias— crecen lentamente y su número es menor.

El parque es una gran explanada de césped en leve pendiente frente a la casa, enmarcada por grupos de palmas y únicamente interrumpida por unos escalones de piedra paralelos a la casa, reforzando la idea de espacio abierto que fluye desde lo construido al entorno.

Los jardines contienen coloridos grupos de plantas que amplían o dividen espacios y delimitan caminos. Las bromelias, las heliconias y los philodendros se utilizan para delimitar grandes espacios, mientras que los hemerocallis, alpinias y bulbines generan mantos horizontales de color.

Tanto la arquitectura de Legorreta como el paisajismo de Chacel se ocupan de hacer más sutil el cambio de escalas, de enmarcar vistas sobre el paisaje y de crear juegos de color. Los verdes del parque y los jardines realzan los tonos tierra y anaranjados de la casa así como del paisaje de los naranjales y de las especies florales. El paso de un espacio a otro se convierte así en una experiencia natural pero dinámica.

planted, albeit ones adapted to the State of São Paulo; and the pre-architecture gardens, the most intimate spaces on the *fazenda*, are made up of shrubs, herbaceous plants and autochthonous flowers, along with other adapted plants.

Adriana de Fátima Rozza's inventory was used for selecting the woodland varieties. So-called "pioneering" plants—tabebuias, coral trees and jacarandas—are varieties that grow more rapidly and quickly create areas of shade, consequently they were planted in profusion; meanwhile, "secondary" varieties—eugenias and casearias—grow slowly and are fewer in number.

The park is a great esplanade of slightly sloping lawn in front of the house, framed by groups of palm trees and solely interrupted by a few flights of stone steps parallel to the house, thus reinforcing the idea of an open space which flows from the built part to the grounds in general.

The gardens contain coloured groups of plants that extend or divide spaces and demarcate pathways. The air plants, heliconias and philodendrons are used to delimit large spaces, while the day lilies, red ginger and burn jelly plants generate horizontal blankets of colour.

Both Legorreta's architecture and Chacel's landscaping strive to make the changes of scale more subtle, to frame views of the landscape and to create plays of colour. The greens of the park and gardens enhance the earth- and orange-coloured tones of the house as well as the landscape of orange trees and floral varieties. The passage from one space to another thus becomes a natural yet dynamic experience.

Estancia de polo en las pampas, Argentina
Inés Stewart, Cecilia Murray

1996-2005

Polo *estancias* on the pampas, Argentina
Inés Stewart, Cecilia Murray

1996-2005

En un paisaje con un marcado carácter horizontal y con una importante identidad cultural, el proyecto interviene sutilmente en las zonas donde los grandes árboles conforman el paisaje y las notas de color se limitan a espacios más íntimos, revalorizando los elementos culturales del lugar.

Las pampas es uno de los paisajes más particulares y reconocibles de Sudamérica debido a su relieve puramente plano y su uniformidad visual. La inmensa planicie se extiende hacia un horizonte lejano pautado por grupos de árboles que, desde lejos, se aprecian como pequeños montes (los primeros pobladores llamaron "montecitos" a estos grupos de árboles pues, al ser incapaces de relativizar la escala de la vegetación,

In a landscape with a markedly horizontal character and an important cultural identity, the project intervenes subtly in the areas where huge trees shape the landscape and notes of colour are limited to more intimate spaces, thus revalorising the cultural elements of the site.

The pampas is one of the most particular and recognisable landscapes of South America due to its totally flat relief and its visual uniformity. The immense plain stretches towards a distant horizon punctuated by clumps of trees that appear from a distance to be *montes*, or hillocks. (*Montecitos* is the name the first settlers gave to these groups of trees because upon being incapable of relativising the scale of the vegetation, they thought they were in the pres-

ence of a geographical outcrop). Scale is lost in the horizontal immensity of the pampas.
This is the image of the fields on the outskirts of Buenos Aires, where public and private polo *estancias* abound.
Estancias are buildings—originally sited at strategic places on the riverbanks—from the mid-18th and early-19th centuries which housed families grouped around the small forts that defended them from the Indians. They had various rooms and a gallery to observe the landscape from. Nowadays, the *estancias* that haven't been handed down from generation to generation have been turned into places for rural tourism and their architecture into a local cultural reference.
These historic locations also have landscape features of note that are typical of the Argentine countryside: great entrance avenues lined with trees, normally white poplars (*Populus alba*) or sycamores (*Platanus acerifolia*); wooden fences which divide the fields; windmills and the *abras* (clearings) framed in clumps of trees that break up the horizon.
In Open Door, an hour and a half from Buenos Aires by car, this *estancia* of some hundred hectares, a former chicken farm, had some long sheds that have been converted into stables. Around the sheds there were rows of poplars with their tops lopped off to let in light, but in the project it was deemed necessary to let them grow again. Today, following a few preliminary phytosanitary works and of strengthening the trees, the tops are leafy in summer and let the sun pass through in winter.
The front part of the site was planted with

pensaban que se encontraban frente a un accidente geográfico). La escala se pierde en la inmensidad horizontal de las pampas. Ésta es la imagen de los campos a las afueras de Buenos Aires, donde abundan los clubes de polo públicos o privados.
Las "estancias" son edificios —ubicados originalmente en lugares estratégicos a la orilla de los ríos—de mediados del siglo XVIII y principios del XIX, que albergaban familias agrupadas en torno a los fortines que les defendían de los indios. Estaban constituidas por varias habitaciones y una galería para mirar el paisaje. En la actualidad, las estancias que no han pasado de generación en generación se han ido convirtiendo en lugares para el turismo rural y su arquitectura en una referencia cultural local.
Estos lugares históricos también tienen elementos paisajísticos reseñables típicos del campo argentino: las grandes alamedas de acceso, normalmente compuestas de álamos plateados (*Populus alba*) o plátanos (*Platanus acerifolia*); las cercas de madera que dividen los campos; los molinos de

Las actuales caballerizas ocupan una antigua granja de pollos. Las copas de los álamos plateados, que antes se podaban, alcanzan los nueve metros.

The current stables occupy a former chicken farm. The tops of the white poplars, which used to be pruned, are now nine metres tall.

viento y las "abras" enmarcadas en grupos de árboles que cortan el horizonte.
En Open Door, a hora y media en coche de Buenos Aires, esta estancia de unas 100 hectáreas, una antigua granja de pollos, disponía de unos galpones alargados que se han reconvertido en caballerizas. A lo largo de los galpones había unas hileras de álamos con las copas podadas para que entrara la luz, pero en el proyecto se estimó necesario volver a dejar que crecieran. Tras unos trabajos previos de saneamiento fitosanitario y de fortalecimiento de los árboles, hoy las copas permanecen frondosas en verano y en invierno dejan pasar el sol.
En el frente del solar se plantó una cortina perenne de casuarinas que, además de garantizar privacidad, genera unos bellos contrastes con los verdes más claros y los

an evergreen curtain of she-oaks (*Casuarinas*) which, as well as guaranteeing privacy, generate beautiful contrasts with the lighter greens and yellows of the deciduous varieties that have been planted within.
Generally speaking, the plantings are circumscribed affairs, freeing up the extended grass surfaces of the pitches and the pastures for the horses that surround the buildings, the aim being to assure the views in which the nature of the location prevails.
Ornamental varieties of shrubs, herbaceous plants and flowers have only been planted in the house verges, in a few entrance ways and in the demarcation of the area of the swimming pool, an atypical square construction that in winter serves as a reservoir.
The site forms part of an important natural hydrological macro-structure of connected

Las típicas alamedas del campo argentino se preservaron en su ubicación original.
The avenue of poplars typical of the Argentine countryside was preserved in its original setting.

amarillos de las especies caducas que se han plantado en el interior.

En términos generales, las plantaciones son puntuales, dejando libres las grandes superficies de césped de las pistas y los pastos para los caballos que rodean los edificios, con el fin de garantizar las vistas, en donde prevalece la naturaleza del lugar. Sólo se han plantado especies ornamentales de arbustos, herbáceas y flores en los bordes de la casa, en algunos accesos y en la demarcación del área de la piscina, una atípica construcción cuadrada que en el invierno hace las veces de estanque.

El lugar forma parte de una importante macroestructura hidrológica natural de arroyos conectados; se profundizó y modeló un bajo que estaba perdiendo su caudal original, devolviendo la imagen de laguna rodeada de pastos y plantas acuáticas típicas de estos paisajes. Además, para no interrumpir el curso natural de agua, se modificó

watercourses; a depression that was losing its original volume of water was deepened and modelled, restoring the image of a wetland surrounded by pastureland and water plants typical of landscapes like these.

Moreover, so as not to interrupt the natural course of the water the level was modified of an interior street that crossed the area, such that in rainy periods a thin sheet of water is formed.

The rustic bar fences (*tranquillas*) that were added delimit spaces and reinforce the horizontality of the landscape, which is visually segmented by means of *abras* of groups of tall trees.

The clever handling of scale and the preservation of a highly meaningful landscape become key elements in a functional, cultural and aesthetically positive result.

Los caminos interiores se flanquearon de especies arbustivas que enfatizan el carácter rustico del lugar, y a la vez imponen cierto orden.

The interior paths were flanked by shrub varieties that emphasise the rustic nature of the place while at the same time imposing a certain order.

el nivel de una calle interior que atravesaba la zona de modo que, en épocas de lluvia, se forme una fina capa de agua.

Las rústicas tranquillas que se añadieron delimitan espacios y refuerzan la horizontalidad del paisaje, que se recorta visualmente mediante *abras* de grupos de grandes árboles.

El acertado manejo de la escala y la preservación de un paisaje altamente significativo se convierten en los elementos clave de un resultado funcional, cultural y estéticamente positivo.

Bajo restaurado y modelado para mantener el equilibrio hidráulico del sistema de campos vecinos.

Depression restored and remodelled in order to maintain the hydraulic balance of the neighbouring fields system.

Primer plano de la plantación de la zona de la piscina, desde donde se pueden observar los lejanos montecitos de árboles.

Close-up of the swimming pool area from where the distant clumps of trees can be seen.

Incorporación cuidadosa de elementos de la cultura agropecuaria de las pampas, como las tranquillas y los molinos.

The careful incorporation of elements of the farming culture of the pampas, such as bar fences (*tranquillas*) and windmills.

Epílogo
Epilogue

Establecer generalidades siempre es una tarea forzada, y más aún en un mundo globalizado; las características propias se pierden, dificultando la diferencia.

No obstante, el paisaje es un elemento cambiante por naturaleza; una vez establecidas las generalidades, con el tiempo la tarea se torna frágil.

A través de la búsqueda, la observación y la comprensión de los proyectos de arquitectura del paisaje en Latinoamérica, no sólo es posible, sino que es necesario, agrupar ciertos modos e imágenes comunes para establecer entonces una actitud de grupo. La selección, categorización y exposición de los proyectos que se presentan en este libro son una prueba de la existencia de una vía, un camino que se hace a sí mismo, que sienta las bases para los proyectos presentes y futuros. Se trata de una búsqueda intuitiva, donde la materia prima —inspiración y necesidad— es el imponente paisaje natural y el social que lo habita y modifica. Los protagonistas de esta búsqueda son los proyectistas y los políticos con capacidad de decisión; a través de sus ideas, métodos y resultados es posible retratar una manera de hacer paisaje. Personalmente, como parte de un necesario proceso de difusión, pero especialmente como latinoamericana, me enorgullece que estos trabajos definan una "actitud de paisaje en Latinoamérica".

Substantiating general statements is always a difficult task, and even more so in a globalised world; individual characteristics get lost, rendering difference difficult. Despite this, landscape is by nature an element that changes; once the general statements are substantiated, with time the task becomes delicate.

Through the investigation, observation and understanding of landscape architecture projects in Latin America, not only is it possible, it is necessary, to group certain common methods and images together in order to establish a group attitude. The selection, categorisation and exposition of the projects presented in this book are proof of the existence of a way, a path which is forging itself, which creates the bases of present and future projects.

This is an intuitive quest in which the raw material—inspiration and necessity—is the imposing natural landscape and the socius that inhabits and modifies it. The protagonists of this quest are the planners and politicians with the power of decision; through their ideas, methods and results it is possible to portray a way of making landscape.

Personally, as part of a necessary process of diffusion, but especially as a Latin American, I am proud that these works define a "landscape attitude in Latin America."

Créditos fotográficos
Photo credits

- pp. 12, 14 (izquierda/left), 17, 47 (derecha/right), 48 (izquierda/left), 49, 50 (izquierda/left), 112, 113 (centro/mid), 113 (abajo/bottom), 116 (abajo izquierda/bottom left), 116 (arriba/top), 117, 123, 131, 133 (abajo izquierda/bottom left), 134, 142, 145, 146, 147, 149, 158 (izquierda/left): © Jimena Martignoni
- p. 14 (derecha/right): © David D. Gregory
- p. 29 (abajo/bottom): © Diana Wiesner Ceballos
- p. 29 (arriba/top): © Empresa de Renovación Urbana de Bogotá D. C.
- pp. 30, 32, 33: © Abdu Eljaiek
- pp. 36, 42: © Joselevich, Novoa, Garay, Magariños, Sebastián, Vila, arquitectos; Cajide, Verdecchia, arquitectos asociados
- pp. 37, 38, 39, 41 (abajo/bottom), 166, 167, 168, 169: © Facundo de Zuviría
- p. 41 (arriba/top): © Gaston Bourquin, c. 1930. Colección Museo de la Ciudad, Buenos Aires
- pp. 44, 45, 48 (derecha/right), 44, 143: © Archivo GDU
- pp. 46, 47 (izquierda/left) foto 24, 25, 26, 33, 50 (derecha/right): © Francisco Gómez Sosa/GDU
- pp. 52, 55 (derecha/right), 58, 59, 77: © Rosa Grena Kliass.
- pp. 53, 54, 55 (izquierda/left), 78, 79, 80, 81, 82: © João Ramid/AIB.
- pp. 60, 61, 62, 63, 160, 161, 162, 163: © Nelson Kon
- pp. 65 (abajo/bottom), 66, 67, 69: © Carlos Tobón
- p. 65 (arriba/top): © Felipe Uribe de Bedout, Giovanna Spera, Ana Elvira Vélez
- pp. 85, 132: © Carlos Martner
- pp. 86, 87, 88, 89, 113 (arriba/top) 116 (centro/mid), 116 (abajo derecha/bottom right), 119 (abajo/bottom), 120, 121, 122, 133 (arriba/top), 133 (abajo derecha/bottom right), 135, 136, 151 (arriba/top), 152, 153, 156, 157: © Guy Wenborne

- pp. 91, 93: © Archivo Fernando Tábora (Oficina Tábora, Tábora, Blanco y Asociados)
- p. 92: © Oficina Tábora, Tábora, Blanco y Asociados
- pp. 94, 95, 96, 97: © Gabriel Reig
- p. 100: © Lorenzo Castro, Juan C. Santamaría
- pp. 101, 102, 104: © Guillermo Quintero Rojas
- p. 111 (arriba/top): © Matthew Pucci Deam
- pp. 111 (abajo/bottom), 114, 115: © Germán del Sol
- p. 119 (arriba/top): © Carlos Jankilevich
- pp. 124, 125, 126, 128, 129: © Roberto Schettini
- p. 127: © Rubén Otero
- pp. 151 (abajo/bottom), 155: © Juan Grimm
- p. 158 (derecha/right): © José Luiz Amaro Rodrigues
- p. 159: © Fernando Chacel

Originalmente, algunos de los reportajes que aparecen en este libro fueron encargos a fotógrafos profesionales por *Landscape Architecture Magazine*.
Some of the documentary photos that appear in this book were originally commissioned from professional reporters by *Landscape Architecture Magazine*.

Agradecimientos A Bill Thompson, editor de *Landscape Architecture Magazine*, quien en abril de 2004 me publicó un primer artículo que dio pie a una serie que hoy continúa sobre proyectos de arquitectura del paisaje en Latinoamérica. Sin su confianza y apoyo no hubiera sido posible comenzar a exponer y difundir las obras más importantes de proyectistas latinoamericanos, ni terminar pensando en modelar la idea de *Latinscapes*.
A Mònica Gili y a Daniela Colafranceschi que, desde el primer momento, demostraron especial entusiasmo, interés y confianza en este proyecto.
A Alan Gray, arquitecto paisajista y amigo-"gurú", quien con sus pensamientos e ideas creativas me acompañó generosamente desde un principio en mi proceso de búsqueda y me impulsó a explorar formas de concreción.
A todos los proyectistas cuyas ideas fueron constante inspiración, y a todos los fotógrafos con que trabajé, quienes entendieron y sobrepasaron mis ansias de poder contar las historias también a través de imágenes.
A Jane Amidon, una pieza importante en la cadena de conexiones hasta llegar a la Editorial Gustavo Gili; a Cora Burgin, arquitecta paisajista argentina, que me ayudó a valorar positivamente cada paso del proceso y a ampliar la exploración de paisajes en Latinoamérica; y a mi familia y amigos, que me acompañan siempre y cuyos rostros forman parte del maravilloso paisaje latinoamericano.

Acknowledgements To Bill Thompson, editor of *Landscape Architecture Magazine*, who in April 2004 published the first article that led to an ongoing series about landscape architecture projects in Latin America. Without his trust and support it wouldn't have been possible to begin disseminating and explaining the more important works by Latin-American designers, or to finally come up with the idea of *Latinscapes*.
To Mònica Gili and Daniela Colafranceschi, who from the very start displayed particular enthusiasm, interest and confidence in this project.
To Alan Gray, landscape architect and friend: a "guru" who from the first generously accompanied me in my search with his thoughts and creative ideas and encouraged me to explore ways of making it happen.
To all the designers whose ideas were a constant inspiration and to all the photographers I worked with, who understood and transcended my worries about being able to tell the story through images, too.
To Jane Amidon, an important link in the chain of connections that reached as far as Editorial Gustavo Gili; to Cora Burgin, Argentinean landscape architect, who helped to positively value each step of the process and to broaden the exploration of landscapes in Latin America; and to my family and friends, who always accompany me and whose faces form part of the marvellous Latin-American landscape.